UPSTREAM

THE QUEST TO SOLVE PROBLEMS BEFORE THEY HAPPEN

上流思考

DAN HEATH

「問題が起こる前」に解決する
新しい問題解決の思考法

ダン・ヒース　櫻井祐子 訳

ダイヤモンド社

UPSTREAM
by
DAN HEATH

僕をロースクールから遠ざけてくれた兄のチップへ

引用元について

本書のために300件以上のインタビューを行った。
本文中で出所を示さずに引用した発言は（「スミスはこう言った」など）、
すべてインタビューからの引用である。
それ以外の発言については出所を明記している
（「スミスはニューヨーク・タイムズ紙に語った」など）。
その他の文献から得た情報や事実を用いたときは、原注にその詳細を記した。
また他者の研究をくわしく参照した場合は、本文中にも出所を明記している。

CHAPTER 1

上流に向かえ

──根本から解決する「新しい思考法」

あなたは友人と川岸でピクニックをしている。突然、川の方から叫び声が聞こえた。子どもがおぼれている。あなたと友人は反射的に川に飛び込み、子どもを抱きかかえて岸まで泳いだ。息をつくまもなく、別の子どもの叫び声が聞こえた。またもや川に飛び込んで子どもを救い出す。するとまた、別の子どもがもがいているのが見える。そしてまた一人……。これじゃとても間に合わない。

ふと見ると、友人が川から上がって、どこかへ行こうとする。「おい、どこに行くんだよ？」。あなたの呼びかけに、友人は答える。「上流に行って、子どもを川に投げ込んでるやつをとっちめてやる」

──公衆衛生に関するたとえ話──

医療社会学者アーヴィング・ゾラが
語ったとされる話を編集

２０１2年のこと、オンライン旅行会社エクスペディアの顧客エクスペリエンス部門責任者、ライアン・オニールが、コールセンターから上がってきたデータに目を通していた。その中に、あまりにも現実離れしていて信じがたいデータがあった。

エクスペディアで旅行の予約を入れた顧客、つまりフライトやホテル、レンタカーを予約した顧客の１００人につき58人が、予約後に問い合わせの電話をかけてきたというのだ。

オンライン旅行サイトのいちばんのウリといえばもちろん、電話をかけずに自分でネット予約ができることだ。ちょっと想像してみてほしい。セルフ式のガソリンスタンドで、給油機の横の端末にクレジットカードを通すと、60％の確率で不具合が起こり、店の人を呼ぶ羽目になったら？　それがエクスペディアの実態だった。

同社のコールセンターは、効率化と顧客満足度向上を使命としていた。担当者は顧客をできるだけ早く満足させるための訓練を受けていた。顧客との通話時間を短くすれば、その分コストを抑えられる。

「うちが見ていた指標は、コストでした」とオニールは言う。「コストを削減できれば、使命も達成できるというわけです。『10分の通話を2分に短縮するにはどうしたらいいか』といつも考えていました。でも本当に考えるべき問題は、『なぜ2分なのか？　そもそもなぜ通話が発生しているのか？』だったのです」

根本的なのに見逃されていること

問題にただ対応するだけの状態が続くと、「問題を防止できる」ことを忘れてしまう。オニールは、上司であるグローバル顧客対応部門上級副社長のタッカー・ムーディーにこの発見を報告し、根本的だが見逃されがちな問題をくわしく調べた――**いったいなぜこんなに多くの顧客が電話をかけてくるのか**。2人は顧客が電話をかけてきた主な理由をリストアップした。

理由の第1位は何だったか？「旅行の日程表がほしい」だった。2012年の1年間に、顧客は日程表をもらうために約2000万回も電話をかけてきていた。2000万回だ！ フロリダ州の全住民が年に一度ずつエクスペディアに電話をかけてくるようなものだ。サポートのコストを1通話につき約5ドルとすると、これは「1億ドル級の問題」と言える。なぜ顧客はオンラインで自動的に日程表を受け取れなかったのか？

とても単純な理由だった。メールアドレスを誤入力した、日程表のメールが迷惑メールのフォルダに振り分けられた、勧誘メールと勘違いして削除した、など。さらに困ったことに、ウェブサイトからは日程表をダウンロードすることができなかった。

オニールとムーディーは当時のCEO、ダラ・コスロシャヒのところに調査結果を持っていった。「何か手を打つ必要があります」とオニールは訴えた。コスロシャヒは問い合わせ件数を減らす必要があるという訴えを、ただ受け入れただけでなく、顧客エクスペリエンス部門の最優先事項にした。

さまざまな部門の担当者を「作戦司令室」に毎日集め、**顧客が電話をかけずにすむようにする**という単純な使命を与えた。

作戦司令室は主な問い合わせ理由の解決策を考え、問題を次々と片づけていった。最大の理由だった日程表のリクエストについては、比較的早く対策が講じられた。

たとえばコールセンターの音声応答システムに自動オプションを追加する（「日程表の再送をご希望の方は2を押してください」）、日程表のメールが迷惑メールのフィルターにかからないように工夫する、顧客がサイトから自分で日程表をダウンロードできるようにする、といった対策が取られた。

いまでは、日程表がほしいという問い合わせはほとんどない。２０００万回の通話がすっかりなくなったのだ。同じことが、2位から10位までの理由についても起こった。エクスペディアに問い合わせの電話をかける顧客の割合は、２０１2年の58％から、いまでは約15％にまで激減している。

気づいても「無視」してしまう

問い合わせを減らそうとしたエクスペディアの取り組みは、**上流介入**の成功例だ。「下流」活動は問題が起こってから事後的に対応するのに対し、「上流」活動は問題を未然に防ごうとする。問題解決には、顧客からの問い合わせに答え、日程表が来ないという苦情に対処するという方法もあるが（下流活動）、顧客が日程表を確実に入手できるようにして、電話をかける必要をなくす方法もある（上流活動）。

問題に事後対応するのではなく、問題がそもそも起こらない世界で暮らしたいのは誰もが望むことだが、なぜそれができないのだろう？

エクスペディアの物語でとくに理解しがたいのは、なぜ行動を起こすのにあれだけ時間がかかったのかということだ。

毎年2000万人もの顧客が日程表を求めて電話をかけてくる事態になるまで、なぜ問題を放っておいたのだろう？　なぜもっと前に、たとえば問い合わせが700万件になった時点で、アラートが働かなかったのだろう？

エクスペディアの経営陣は、問題を見過ごしていたわけではない。問い合わせ件数の多さには気づいていた。ただ、会社はこの気づきを組織的に無視するようにできていたのだ。

エクスペディアはほとんどの会社と同じで、多くの部門に分かれ、それぞれが異なる目的を持っていた。

営業部門は顧客をウェブサイトに呼び込み、製品部門は顧客が予約を完了できるよう誘導し、技術部門はウェブサイトを円滑に機能させ、顧客対応部門は問い合わせに迅速に対処して顧客満足度を高めるという目的をもって活動していた。

だがそこには何かが欠けていた。顧客が問い合わせをせずにすむようにすることをめざす部門は一つもなかった。実際、顧客からの問い合わせ件数を減らしても、どの部門の得にもならなかった。問い合わせ件数はどの部門の業績評価基準でもなかったのだ。

ある意味で、**各部門の目的はむしろ電話を増やす結果になっていた**。予約件数を増やそうとする製品部門にとっては、顧客にメールアドレスを一度だけ入力してもらうのが得策だった。二度も入力を求められたら、100人に1人はイライラして予約をやめてしまうかもしれない。

だがもちろんそのせいで、アドレスを誤って入力した顧客は、日程表を手に入れるために後日電話をかける羽目になる。これは「システム」の欠陥だ。その顧客は本来電話をかける必要などなかったからだ。

それなのに目的という観点から見れば、どちらの部門も成果を上げていた――製品部門は取引を成約させ、顧客対応部門は問い合わせに迅速に対応していた。

「効果がわかりにくい」という問題

2012年当時のCFO（最高財務責任者）で、2017年にCEOに昇格したマーク・オカストロムは、こう話してくれた。

「組織というものは、そこで働く人たちに何をすべきかを示すためにあるのです。要は、『目の前にある問題だけに集中すればいい』という許可を与えているのですよ。『君たちの問題はこれだ。問題を解決するために目標を定め、戦略を立て、資源を配置せよ。ほかの無関係なことはすべて無視してかまわない』と」

オカストロムが言っているのは、「集中」は組織の強みであり弱みでもあるということだ。組織の本質である分業によって、効率性は大いに高まる。だがその半面、新しい有益なやり方や上流の手法を取り入れにくくなっているのだ。

これは社会のいろいろな側面についても言える。日々の生活でも、私たちは問題が起こっては対応するというサイクルに陥り(おちい)がちだ。トラブルを処理して、緊急事態に対処してと、次から次に起こる問題を片づけるが、問題を起こしているシステムそのものを見直すまでには至らない。

心理療法士は薬物依存症患者の回復を促し、人材派遣業者は辞める重役の後釜を探し、小児科医は呼吸困難の子どもに吸入剤を処方する。

こうした問題に対処できる専門家の存在はもちろんありがたいが、そもそも依存症患者が薬物に手を出さず、重役が仕事に満足し、子どもがぜんそくにならない方がずっといい。なのに、なぜ問題の防止ではなく、事後対応にばかり力を入れているのだろう。

2009年に僕はカナダのある都市の警察副本部長と話をした。僕が「上流思考」に関心を持ち始めたのは、この会話がきっかけだった。

警察は犯罪の防止より後始末に気を取られていると、副本部長は話してくれた。「泥棒を捕まえることしか眼中にない警官が多いんですよ。『不良少年を説得しました』と言うより、『この男を逮捕しました』と言う方がずっとわかりやすいですから」

副本部長は2人の警官の話を例に挙げた。

1人は勤務時間の半分を使って、事故が多発する交差点に立っている。彼が存在感を放っているおかげで、ドライバーはいつもより注意を払い、衝突事故を避けることができているかもしれない。

2人目の警官は交差点の陰に隠れて、交通違反車を取り締まっている。

公共の安全への貢献度は1人目の方が高いのに、ほめられるのは2人目だ。努力の成果を証明する違反切符をたくさん持っているのは、2人目なのだから。

これが、防止より対応が優先されがちな理由の1つだ。下流活動の成果は目立つし、測定しやすい。

上流活動の成果はもどかしいほどわかりにくい。たとえば、街角に立つ警官のおかげで、ある家族がいつもより少しだけ気をつけ、事故を起こさずにすんだとする。だが家族は事故を起こさずにすんだとはまったく気づかない。警官もだ。

「何かが起こらなかった」ということをどうやって証明するのか？　たとえば衝突事故の証拠を集めて、件数が減少し始めたら成功したとわかる。だが、たとえ事故防止の取り組みの有効性を確信できたとしても、誰が救われたのかを知ることはできない。ただ書類上の数字が減っているのがわかるだけだ。

上流の成功物語は、**目に見えない犯罪を防ぐ、目に見えない英雄たちが主人公の、データで書かれた物語**なのだ。

どんなときも「さらに上流」に向かえる

本書で言う上流活動とは、「問題を未然に防ぐための活動」や、「問題による被害を計画的に減らそうとする活動」のことだ。

たとえば子どもに泳ぎを教えるのは、溺死を防ぐためのすばらしい上流活動だ。

だが泳ぎの得意な人でもおぼれることはある。だから僕の考えでは、救命用の浮き輪も立派な上流技術のうちに入る。浮き輪は一見すると事後対応の道具に思えるかもしれない。浮き輪が必要になった時点で、もう問題は起こっているのだから。だが、もしも解決したい「問題」が溺死であれば、浮き輪は防止策になる。

上流活動の見分け方は、「**システム全体のことを考えているかどうか**」がポイントになる。当局は溺死の危険性を認識しているから、浮き輪を購入し、緊急時にすぐ使える場所に配置する。これに対し、父親がおぼれている息子を助けようとしてプールに飛び込むのは、下流の事後対応だ（上流と下流の活動は相互に影響をおよぼし合うことが多い。父親が息子を救助したあと、プール側はおそらく事故原因を分析し、同じような事故を繰り返さないようにするために、何らかの抜本的な変革を行うだろう。下流の救命は上流の改善につながる）。

本書では「予防」や「事前対応」といった言葉よりも、「上流」という言葉を使いたい。流れというたとえを使うことで、解決策を幅広くイメージできるからだ。

この章の冒頭で紹介したおぼれている子どものたとえ話では、下流と上流という2つの地点を対比した。だが実際には、過去から現在に向かう時間軸上のどの時点でも介入することができる。

言い換えれば、決まった目的地としての「上流」に向かうのではなく、方向としての上流に向かうということだ。泳ぎを教えるのは、浮き輪を用意するよりも上流だ。また、どんなときでもさらに上流に向かう方法はある。ただしその分、複雑さは増す。

空き巣を「何十年も前」に防ぐ

具体的な問題を例に、上流活動の幅広さを考えてみよう。2013年にテキサス州カレッジステーションの僕の実家が空き巣に入られた。両親が散歩で家を空けた隙に、泥棒が裏口から押し入り、財布1つとiPhone2台、宝石をいくつか盗んでいった。警察に被害届を出したが、残念ながら犯人は捕まっていない。下流の対応が失敗したのだ。

何があったら空き巣そのものを防げていただろう？

犯行の数秒前なら、耳をつんざくような警報が役に立っただろう。

数分前なら、警報システムの存在を知らせるもの、たとえば民家の裏口でよく見かける警備会社のステッカーなど（ただしこの方法だと、泥棒は隣家に関心を移すだけかもしれない）。

数時間前なら、目立つ場所に立っている警官。

数か月前なら、犯人に前科があった場合、再犯の悪循環を断ち切るための行動療法を試せたかもしれない。

数年前ならどうか？　忘れてはいけないのが、泥棒になりたくてなる子など1人もいないということだ。したがって窃盗のさらに上流の防止策は、窃盗に走ることがばかばかしくなるほど多様な機会が開かれた地域社会をつくることだ（これを楽天的すぎると思う人は、

第5章まで待ってほしい。こうした機会を提供することによって、実際に10代の薬物・アルコール乱用をほぼ根絶した国の例を紹介する)。

では、空き巣を何十年も前に防止する、なんてことはできるだろうか?

できるのだ。**上流の介入の余地はいくらでもある**。

心理学者で児童発達専門家のリチャード・トランブレーによれば、攻撃的行動を予防するのに最適な時期は、子どもがまだ母親の胎内にいるときだという。

トランブレーが子どもの慢性的な攻撃的行動を増大させる母親関連の危険因子として挙げるのは、母親の貧困や喫煙、栄養不良、怒り、鬱、険悪な夫婦関係、低学歴、10代での妊娠などだ。こうした因子は組み合わさることが多く、またさらに重要なことに、外から働きかけて変えることができると、トランブレーは強調する。

「攻撃性は主に男性に見られる問題だが、それを解決するには女性に目を向けなくてはならない」とトランブレーは科学誌ネイチャーで語っている。「女性の生活の質を改善すれば、その影響は次世代に伝わるのだ」

上流活動は「つかみどころ」がない

こういった解決策が有効だというのなら、犯罪者になる子どもをなくすような上流の解決策をどんどん取ればいい、と思う人がいるかもしれない。

だが一般的に言って、上流の解決策は望ましい半面、複雑でわかりにくいという難点がある。

考えてもみてほしい。トランブレーが提唱する解決策は、妊婦の環境を劇的に改善し、お腹の子どもが将来危険因子（貧困、怒り、鬱など）にさらされにくくすることによって、犯罪行為に走るリスクを下げるという、攻撃的な傾向を持ちにくくなるような環境をつくり、遠回りな取り組みだ。18年後にひょっとすると、女性の子どもは空き巣をはたらく代わりに、大学に進学するかもしれない。

下流活動が焦点がはっきりしていて、迅速で、具体的なのに比べ、上流活動は多面的で、ゆっくりしていて、つかみどころがない。それでも、うまくいくときは本当にうまくいく。莫大で長期的な効果を実現できる。

では上流と下流のどちらが望ましいのだろう？　空き巣を防止するには警報装置を使うべきなのか、それとも未来の「犯罪者」の母親に気を配るべきなのか？

ベストアンサーは、「**なぜどちらか一方を選ばなくてはならないのか？**」だ。

企業がネットワーク障害による時間のロスを防ぐために何重もの保護手段を講じることができるのだから、私たちも犯罪やその他の重要な問題を防止するための多面的な取り組みを展開できるはずだ。

だがもしも資源が限られていて、介入地点をどうしてもどこか1つに限定しなくてはならないとしたら、歯切れの悪い答えしかできない。どちらが正しいかはわからない、と。犯罪などの重大な問題に関して言えば、「流れ」のどの地点での介入が望ましいかを判断できる十分な証拠は（十分なコンセンサスも）まだない。

それが、僕がこの本を書いた主な理由の1つだ。世界の諸問題に対処するための方法は幅広くあるのに、ほとんどの場合「事後対応」という、ごく狭い範囲にしか目が向けられていないということを訴えたかったのだ。いつでも**対応、対応、対応**なのだ。

ハリケーンや地震からの復旧に莫大な資金が費やされる一方、防災対策はつねに資金不足だ。ホームレス支援の機関や組織は何百とあるが、ホームレス問題を防ごうとする組織はいくつあるだろう。エボラ熱が外国で広がり始めれば、各国は何を措いてもそれを封じ込めようとする。だがいったん感染が収束すれば、各地の保健機関は次の感染爆発（アウトブレイク）を防ぐための資金を得にくくなる。

上流の解決策がつねに正しいとは言わない。それに下流活動をやめるべきだということでもけっしてない――救助する人はどんなときでも必要だ。ここで言いたいのは、取り組みがあまりにも偏（かたよ）っているということだ。おぼれている子どもの救助にとらわれるあまり、そもそもなぜ救助が必要なのかを調べることもしていない。

どうリソースを「配分」すべきか？

このような意識変革が必要な分野のナンバーワンが、アメリカ経済の5分の1近くを占める、3兆5000億ドル規模の医療業界だろう。

アメリカの医療制度はもっぱら事後対応専用に設計されていて、巨大な「元に戻す（アンドゥ）」ボタンのような役目を果たしている。

動脈閉塞だって？　血栓を除去しよう。視力が落ちた？　矯正しよう。うまくいけば、元に戻せるかもしれない。

しかし、（「健康を悪化させる問題にどう対応するか？」ではなく）「人々を健康にするにはどうするか？」という問題に取り組んでいる人は、医療業界ではほとんど見かけない。

医療制度は上流に向かうことができるだろうか？　それをするには、政策の抜本的な見直しが欠かせない。だが医療政策はとかく党派が激しく対立する問題だ。

レベッカ・オニーとロッコ・ペルラが率いるザ・ヘルス・イニシアティブ（THI）という団体が、保守派とリベラル派の基本的な価値観の違いを調べるために、ノースカロライナ州でこんな調査を行った。アフリカ系アメリカ人女性の民主党支持者の集団と、白人女性の共和党支持者の集団に、いくつかの選択肢を示して、こう訊ねたのだ。

「地域社会の健康増進のために自由に使えるお金が１００ドルあったとしたら、何にどれだけ使いますか？」

アフリカ系アメリカ人女性の民主党支持者は、約3分の1を公的医療機関（病院や診療所）に、残りの大半をそれ以外に配分すると答えた。25ドルを健康的な食品に、19ドルを低賃料住宅に、14ドルを子育て支援に、といった具合だ。

共和党支持者の白人女性は、資金をどう配分しただろう？　ほとんど同じだった。実際、最後の1％に至るまでまったく同じだったのだ。ＴＨＩが全米各地で行った、男性、ラテン系、浮動票投票者等の集団の調査でも、同じ結果が出た。「**支出パターンは驚くほど似ていました**」とペルラは言う。「びっくりして、思わず手を止めてしまったほどです」

要するに、議会でどんなに激しい論戦が繰り広げられていても、支出がどのように配分されるべきかについてはひそかなコンセンサスができあがっているようなのだ。「健康をお金で買う」ための最良の方法に関しては、政治的信条にかかわらず、資金の3分の2を健康を促進する仕組み（食品や住宅の提供など）に、残りの3分の1を病人を治療する仕組みに費やすのが得策だということで、意見が一致している。

言い換えれば、下流の医療に1ドル投じるごとに上流に2ドルを投じるのが賢明な方法だと、ほとんどの人が考えているのだ。

実はこの割合は、先進国の国際標準にかなり近い。先進国全体の平均的な医療支出の傾向は、下流への支出1ドルにつき上流への支出が2〜3ドルというものだ。だが例外が1か国だけある。そう、アメリカだ。アメリカは下流に1ドル投じるごとに上流に約1ドルを投じている。先進国のなかで下流支出に対する上流支出の割合が最も低いのだ。

「投資」が下流に偏ってしまう

医療に関する議論では、アメリカの医療支出は「多すぎる」と言われることが多い。だがそんなに単純な話ではない。

たしかにアメリカは、GDP比で見た公的医療制度への支出が他の先進国よりも多い。だが住宅や年金、子育て支援などの上流支出、いわゆる「社会的ケア」を含めた数字で見ると、アメリカの支出はたいして多くない。エリザベス・ブラッドリーとヘザー・シプスマ、ローレン・テイラーの2017年の研究によれば、これらを合計した総支出では34か国中9位にすぎない。

ブラッドリーとテイラーが著書『アメリカの医療のパラドックス』(未邦訳)のなかで指摘するように、アメリカの健康への取り組みで真に特徴的なのは、支出の「額」ではなく、その「内訳」である。アメリカは他国に比べ、病気の治療にかけるお金が多く、健康を保つための支出が少ない。アメリカは下流主体、他国は上流主体、ということになる。

それだけならまだしも、アメリカの上流支出でさえ、他国に比べればそれほど上流とは言えない。

ランド研究所の報告によれば、他の先進国は上流予算に占める子育て支援（児童税額控除、育児補助など）の割合が、アメリカのほぼ3倍である。他方、アメリカは他の先進国に比べ「高齢者」関連の支出が3割ほど多い。

この下流に偏った投資のおかげで、アメリカの医療機関はがんや心臓病などの重病の治療に優れている。サウジの王子たちががん治療のためにわざわざヒューストンやボストンに飛んでくるのはこのためだ。といっても、恩恵を受けるのは王子だけではない。こういった病気に苦しむ人たち全員だ。

アメリカは人工膝関節置換術やバイパス手術にかけても世界の最先端を行っているし、腎臓移植患者の数も、人工股関節置換術を必要としてから半年以内に受けられる高齢者の割合も、世界一多い。これは下流活動への投資のたまものだ。

「優先順位」が違うと何が起きるか？

逆に、下流偏重の弊害とは何だろう？　ノルウェーとの比較が参考になる。ノルウェーは上流と下流の医療支出の合計がＧＤＰに占める割合がアメリカに近い。だが支出の優先順位はアメリカとまったく違い、下流に1ドル費やすごとに、上流に約2ドル50セントも費やしている。

これほど優先順位が違うノルウェーでは、どんな恩恵が受けられるだろう？　出産を例にとってみよう。ノルウェーの妊婦は出産前保健指導に一銭も払う必要がない。分娩もだ。出産後の指導も無料。すべて国持ちだ。

両親がともに出産前10か月間のうちの6か月間雇用されていれば、各種の休暇を取ることができる。母親は出産予定日の3週間前から産休に入り、出産後は両親とも15週間の休暇が取れる。それが過ぎると、父親と母親が16週間の休暇を分け合うことができる。

そしてアメリカ人よ、腰を抜かしてはいけない。**これらの休暇のすべてが有給なのだ。**

2人合わせるとのべ49週間にもなる（母親か父親のいずれかが労働の要件を満たしていない場合は、有給休暇は取れないが、約9000ドルが一括で支給される）。

子どもが1歳になると、収入に応じて月200～300ドル程度までの負担で、質の高い全日制保育園への入園が保証される。子どもが18歳になるまで1人につき月額100ドル強の児童手当が支給される。このお金はおむつや食品、学用品などに使うことができる。大学の学資として積み立ててもいいが、そんな必要はない。ノルウェーは大学の学費も無料だからだ。

ノルウェーとアメリカでは、どちらの国民の方が健康だろう？　大差がついている。乳児死亡率の低さではノルウェーは世界第5位、アメリカは34位だ。平均寿命の長さではノルウェー5位、アメリカ29位。ストレスの少なさではノルウェー1位、アメリカ21位。

では幸福度の高さはどうか？　ここにこそわが国の強みがあるはずだろう？　いやいや、ノルウェー3位、アメリカ19位だ。*

前に言ったように、どちらの国も医療支出（上流と下流の合計）のGDP比はほとんど変わらない。ノルウェーはアメリカより支出額が多いわけではなく、その内訳が違っているだけだ。アメリカは下流に力を入れ、ノルウェーは上流に力を入れている。アメリカが国として選択したのは、おぼれている子どもを救う方法をますます極めることだった。

だが、違う選択もできるはずだ。

人間性の「最良」と「最悪」の側面が表れている

僕がこの本を書いたのは、誰もが個人として、組織として、国として、また世界全体として、上流に力を入れるべきだということをわかってもらいたいからだ。問題に対症療法的に対応してばかりいないで、問題を解決し始めることはできるし、そうすべきだ。

と同時に、下流から上流へのシフトで起こりがちな、不測の事態にも目を光らせなくてはならない。メキシコシティの例を考えてみよう。

メキシコシティの市当局は1989年、車のナンバープレートの末尾の番号によって、一般市民が市内を走行してはいけない曜日を定めた。狙いは公共交通機関の利用を促し、空気の質を改善することにあった。大気汚染防止のための立派な上流の取り組みだ。

だがうまくいかなかった。メキシコ人は毎日運転できるように2台目の車を、しかも節約のために中古のポンコツ車をこぞって買い求めた。大気汚染は改善しなかった。

善意の取り組みだからといって、成功する保証はない。

上流活動で僕が興味深いと思うのは、人間性の最良の側面と最悪の側面が表れていることだ。上流に向かうのは自発的な決意の表明だ。――この世界にはいろいろな力が働いているが、だからといってそうした力のなすがままになる必要はない、自分の思い通りにできるはずだ。自分の世界は自分でつくろう。

だがこの表明には、勇気と傲慢の種が潜んでいる。

＊ 単純な決めつけを避けるために少々補足すると、たとえアメリカの上流支出がノルウェーと同水準だったとしても、国民にノルウェーと同等の恩恵が行き渡る保証はない。国民全体の健康を増進するのは大変な仕事だし、アメリカは長らく続く不公平と人種差別のせいで、国民が（比較的）均質なノルウェーよりもさらに難しい仕事になっている。もうひとつ、数字に関する問題がある。上流と下流の支出の「比率」自体には意味はない（たとえば下流の医療支出を減らせば、上流の比率が上がるが、それによって健康を増進できるわけではない）。要するに、医療支出をお金の入った大きな壺だとすると、アメリカは他国と違うやり方でその中身を配っているということだ。国民の健康状態を改善するには、上流にかける支出の絶対額を増やすか、下流に向けられている資金を上流に移す必要がある。

こうしたコントロール欲求が、めざましい成功を生むこともある。たとえば20世紀だけでも世界全体で3億人の命を奪ったとされる天然痘ウイルスの根絶の例がある。全世界が総力を挙げて取り組んだおかげで、天然痘は根絶された。最後の自然感染患者は、ソマリアのメルカで病院の料理人をしていた、アリ・マオ・マーリンだった。1977年にマーリンの感染が確認されると、2週間の懸命の努力により、感染拡大防止のために周辺地域の5万4777人に種痘が行われた。*

これを最後に天然痘は姿を消した。治療ではなく、根絶の取り組みが成功したのだ。これが上流活動の最良の例である。

だがその一方で、状況を思い通りにしたいというコントロール欲求のせいで、状況をきちんと把握しないまま行動してしまうこともある。理解してもいないシステムをいじくりまわして、予想外の影響を引き起こしてしまう。よりよい世界をめざす立派な取り組みが、かえって状況を悪化させてしまうことがあるのだ。

後手に回るより、先手を打とう

上流活動のリーダーは、複雑に絡み合った難題を解きほぐさなくてはならない。たとえば、問題を早期に検知するにはどうしたらいいのか。何かが「起こらない」ことが成功と見なされる場合、どうやって成果を測るのか（違反切符を切る代わりに、事故多発現場に立って衝突事故を防いだ警官の例を思い出してほしい）。また、誰が「起こっていないこと」のためにお金を払うのか。

これからの章で、これらの難題に正面から切り込み、困難を乗り越えて成功した人たちの例を見ていこう。

アメリカで慢性的なホームレスを初めてなくした都市を紹介しよう。高校生活の1年間にとくに重点を置くことによって、卒業率を25％も高めた大都市の教育学区を訪れよう。継続課金型（サブスクリプション）サービスを提供するインターネット企業が、初期登録後の1か月以内に年間契約を解約しそうな顧客を見分ける方法を開発した事例を説明しよう。

本書は3部構成になっている。SECTION1では、私たちを下流に押し戻し、問題を防止する能力を妨（さまた）げる3つの要因を見ていく。

＊ 驚くべき後日談：マーリンは生き延び、天然痘に感染した経験を活かしてワクチンの重要性を説いてまわり、ソマリアの天然痘根絶に一生を捧げた。ところで、1978年にはもうひとり、不運な状況で不自然感染した人がいた。イギリスの医療写真家ジャネット・パーカーだ。パーカーの暗室は、天然痘ウイルスを研究していたヘンリー・ベドソン教授の研究室の真上にあった。ベドソンが研究を急ぐあまり安全確認を怠ったせいで、ウイルスが通風管を通ってパーカーのところまで届いてしまった。パーカーは死亡し、ベドソンは自責の念に駆られて自殺した。

続いてSECTION2では、上流リーダーが答えなくてはならない7つの根本的な質問について考える。成功した防止策と失敗した防止策の両方を見て、有効な戦略と注意すべき障害を説明する。

最後にSECTION3では、「さらに上流」の考え方を取り上げる。まだ一度も起こったことがない問題（や、一度も起こらないかもしれない問題）にどうやって対処するか？

「**一つの予防は百の治療に勝る**」と言われるが、実際にはそれと正反対の行動を取る人が多い。社会をよくしようとする活動のほとんどで、あたりまえのように「治療」が行われている。すばやく効率的な治療が施され、対応、復旧、救命の努力が称えられる。

だがもっとすばらしいことができるはずだ。

後手に回るより、先手を打とう。いま世界に必要なのは、救命がもはや必要でなくなる世界をめざして果敢に戦う、静かな英雄たちだ。私たちの生活や社会には、「解決できる」ことを忘れているというだけの理由ではびこっている問題がどれだけあるだろう？

CONTENTS

CHAPTER 1

上流に向かえ
——根本から解決する「新しい思考法」

SECTION 1

「上流思考」を阻む3つの障害

CHAPTER 2

問題盲
——「そういうものだ」と思ってしまう

CHAPTER 3

当事者意識の欠如

――自分で解決できるのに気づかない

CHAPTER 4
トンネリング
――「目の前の問題」しか見えなくなる

SECTION 2

「上流リーダー」になれる7つの質問

CHAPTER 5

「しかるべき人たち」をまとめるには？

――多様なメンバーで問題を「包囲」する

CHAPTER 6

「システム」を変えるには？

——目の前の「水」に目を向ける

CHAPTER 7

「テコの支点」はどこにある？

――問題に寄り添う

CHAPTER 8

問題の「早期警報」を得るには？

――価値の大きい警報を見抜く

CHAPTER

9

「成否」を正しく測るには？

——「幻の勝利」に気づく

CHAPTER 10

「害」をおよぼさないためには？

――「フィードバックループ」で改善する

CHAPTER

11

誰が「起こっていないこと」のために お金を払うか？

――「払った人が得をする」仕組みをつくる

SECTION 3

さらに上流へ

CHAPTER 12

予言者のジレンマ

――「いまそこにない危機」に対処する

CHAPTER 13

あなたも上流へ
――個人として上流活動をする

〔　〕は訳注を表す。*のルビは傍注があることを表す。

SECTION 1

「上流思考」を阻む3つの障害

- 問題盲
- 当事者意識の欠如
- トンネリング

CHAPTER

2

問題盲

――「そういうものだ」と思ってしまう

医師でスポーツトレーナーのマーカス・エリオットは、1999年にアメリカンフットボールのプロリーグ、NFLのニューイングランド・ペイトリオッツのスタッフに加わった。チームではハムストリングス〔太もも裏の3つの筋肉〕の故障が続出していた。当時、ケガは仕方のないものと考えられていた。

負傷するのも「スポーツのうち」だというあきらめがあったと、エリオットは言う。「スポーツとはそういうものだ、たまたまケガをしただけだと思われていました」。アメフトは厳しいスポーツで、選手はケガをするのがあたりまえ、負傷は避けられないと思われていた。

エリオットの考えは違った。ケガが起こるのはトレーニングの方法が間違っているからだというのが彼の持論だった。当時のＮＦＬのトレーニング環境は、体を大きく強くすることに主眼を置いていた。選手は体もポジションも一人ひとりまったく違うのに、トレーニングの方法はほぼ同じだった。

「まるで診察室に入り、問診も検査も受けずに処方箋を出されるようなものでした」とエリオットは言う。「それでは意味がありません。でもとにかく、プロ選手はそうやって訓練されていました。……万人共通のプログラムでね」

エリオットは新しい、個別的な手法を取り入れた。

ハムストリングスを痛めるリスクがとくに高い、ワイドレシーバーなどのポジションの選手に注意を向けた。一人ひとりの選手を調べ、筋力を測定し、筋肉の力学を解析して、筋肉バランスが崩れている箇所（ハムストリングスのうちの1つが、別の1つより強いなど）を探し当てた。

これらの評価をもとに、選手を負傷リスクによって高・中・低に分類した。高リスクの選手には、エリオットが発見した筋肉の危険な兆候を修正するために、シーズンオフに積極的なトレーニングを行わせた。

なぜ明らかな問題を放置するのか？

ペイトリオッツでは前のシーズンに22件のハムストリングス損傷が発生していた。エリオットの計画を導入してからは、3件に激減した。この成功（やほかの成功）を見て、最初は半信半疑だった人たちもエリオットのやり方を受け入れた。20年経ったいまでは、エリオット方式の、データに基づく個別トレーニングがより一般的になっている。

エリオットはその後、一流選手の評価とトレーニングを行うスポーツ科学企業「P3」を立ち上げた。P3は3Dモーションキャプチャ技術を活用して、選手が走り、跳び、回転する際の動きを細かく解析する。まるで選手の全身をMRI（磁気共鳴画像）で測定したような、驚くほど精密な結果が得られる。

エリオットはそれを選手と一緒に見ながら解説する。

「ほら、君が跳んで着地するとき、体のこっち側にかかる力が、そっち側より25％大きいのがわかるだろう。それに大腿骨が内向きに、脛骨（けいこつ）が外向きに回転している。そのせいで、君の相対的な回転速度は、うちが調査した全選手の上位4％に入っている。うちの調べでは、これが上位5％に入る選手は全員2年以内に負傷しているんだ。だからこれを改善しなくてはいけないね。トレーニングが終わったら、どれだけ変化したかをまた調べよう」

NBAの現役選手の半数以上がP3の解析を受けている。

「故障が起こるまで手をこまねいている必要はありません」とエリオットは言う。「危険な兆候を見つけ、対処するんです。故障が起こるまで待っていたら、元の状態にはけっして戻せませんから」

エリオットや、同じ考えを持つ仲間たちのおかげで、プロスポーツの世界では負傷予防の科学的アプローチが浸透しつつある。

プロ選手は全力でプレーする。ケガは必ず起こる。それは仕方のないことだ。

――これが、僕が「問題盲」と名づけた考え方の一例だ。

悪い結果はあたりまえ、または避けられない、自分にはどうすることもできない、という思い込みである。目をつぶってしまえば、問題は天気のようになる。天気が悪くても、肩をすくめるしかない。だからって、どうしろというんだ？　天気なんだから仕方がないだろう。

問題盲は、これから見ていく上流思考を阻む3つの障害の1つ目だ。見えない問題は解決できない。そして問題が見えないせいで、大きな害がおよびそうなときでさえ、どうしようもないとあきらめてしまう。上流に向かうには、まず問題盲を克服しなくてはならない。

「そういうものだ」という思い込み

1998年のシカゴ市公立学校学区（以下、シカゴ学区）の高校の卒業率は52・4％だった。つまりシカゴの公立高校の生徒が卒業できるかどうかは、コイン投げの確率と同じだった。

「どんなシステムも、設計された通りの結果を生み出している」とは、医療専門家ポール・バタルデンの名言だ。シカゴ学区は、まさに生徒の半数を落とすべく設計されたシステムだった。

あなたがこの学区の教職員だったとしよう。このとんでもない卒業率を何とかしたいという熱意にあふれた、善良な人物だ。どこから手をつけたらいいのだろう？　どんなに気高い志も、642の高校と36万人超の生徒、3万6000人超の教職員を擁する膨大なシカゴ学区の前にはくじけそうになる。

この規模感をつかんでもらうための例を挙げると、ウィスコンシン州グリーンベイ学区の生徒数は2万1000人だが、シカゴ学区には同じ数の教師がいる。またシカゴ学区の60億ドルの予算は、シアトル市全体の予算に匹敵する。

これから紹介するのは、信念を持つ人々の集団が、欠陥のある巨大システムを内側から変えようとした物語、生徒を中退させないために上流に向かった物語である。

変革を起こすには、まず間違った考えを正すことから始める必要があった。

「昔から『高校は運命の分かれ道』と言われていました」と語るのは、ケンウッドアカデミー高校の校長として変革を推進した、エリザベス・カービーだ。「生徒にとって高校とは、人生の成否が決まる場所でした。成功しないのは生徒の責任だとされました。高校とはそういうものだからと、誰も疑問を持たなかったんです」

そういうものだからと、誰も疑問を持たなかった——典型的な問題盲だ。

シカゴ学区では、中退率が高いのは仕方がないと、多くの人が考えるようになっていた。生徒が中退するのは、家庭の貧困や小中学校時代の勉強不足、トラウマ的な体験、栄養不良といった根本的な原因に手をつけることができないからだ。それに何より、生徒自身が努力を怠っている。授業をサボり、課題を提出しない。学校などどうでもいいと思っているようだ——。

こうした状況を変えるために、高校の教師や校長に、いったい何ができるだろう？　何もかもが手に負えないように思える。そうして1年が過ぎると、卒業率はまた50％前後に落ち着く。すると、さらに無力感が高まる。厳しい世界だが、そういうものだから仕方がない……。

拍子抜けするほど「単純」な要因

学校のリーダーの力によって卒業率を改善できる、というかすかな希望をもたらしたのは、シカゴ大学学校研究連盟（ＣＣＳＲ）のイレーヌ・アレンズワースとジョン・イーストンの学術研究だった。ＣＣＳＲは２００５年のこの研究で、生徒が高校1年目を終えた時点で、卒業するか中退するかを80％の精度で予測できるという発見を発表した。

予測に用いられたのは、拍子抜けするほど単純な２つの要因だった。「通年科目を5単位取得していること」と「数学・国語などの主要科目の単位を2学期以上落としていないこと」だ。

この２つの要因を合わせたものは、新入生進捗（ＦＯＴ）指標と呼ばれた。この指標で「軌道上」にあると判断された1年生は、「脱線」した生徒に比べて卒業する確率が３・５倍も高かったのだ。

「ＦＯＴは、ほかのすべてを束にしたよりも重要な指標です」と語るのは、２０１７年からシカゴ学区のＦＯＴ活動責任者を務める、ペイジ・ポンダーだ。中退予測の計算には、生徒の家庭の所得や人種、性別の要素は含まれないし、おそらく最も驚くべきことに、８年生〔13〜14歳。シカゴでは高校入学の前年〕までの学業成績も含まれない。

学業成績について補足すると、たとえ8年生時の成績が学年全体の下位4分の1でも、高校に上がってからの1年間を軌道上で過ごした生徒は、卒業率は68％と、学区平均を大きく上回っていた。この研究が明らかにしたのは、**高校1年時の学業成績には、高校を卒業できるかできないかに大きく影響する何かがある**ということだ。

なぜだろう？　高校1年の何がそんなに特別なのか？　1つの理由は、シカゴには中学校がないからだ。シカゴの初等教育は幼稚園年長から8年生までで、高校は4年制だ。つまり8年生から高校生への進級は、言ってみれば子どもを突然卒業して大人になるほどの大転換である。

「転換期は傷つきやすい時期です」と語るのは、シカゴ学区の改革で重要な役割を果たしたNPO「大学成功のためのネットワーク」の代表を務めるサラ・ダンカンだ。多くの生徒が高校1年で初めてつまずくが、教師はまるで「愛のムチ」のように、つまずきを歓迎するふしさえあるという。

「教師はたぶん、落第した生徒が『頑張らなければ』と心を入れ替えることを期待するんでしょう」とダンカンは言う。「そういう生徒もたまにいます。でも14歳の生徒のほとんどは、『ここは自分の居場所じゃない、自分には向いていない』と感じる。それでやる気をなくしてしまうんです」

「設計」が間違っているから「結果」も間違う

だが、どうやって生徒を軌道上にとどめればいいのだろう？　ここで忘れてはいけないのが、ＦＯＴはたんなる予測にすぎないということだ。

煙探知器が火を消さないのと同様、ＦＯＴは何かを解決するわけではない。そして煙探知器と同様、ＦＯＴの警報が鳴った時点で、すでに悪いことが起こっている。問題を防止するチャンスをすでに逃してしまっているのだ（脱線した状態で1年生を終えた生徒は、すでに学業がかなり遅れている）。

だが煙探知器とは違って、ＦＯＴ指標は未来の問題を予防する方法を指し示している。それは、中退するリスクが高い生徒にめいっぱい科目を履修させ、かつ主要科目で特別な補習を行うことだ。* この使命を遂行するための取り組みを通して、シカゴ学区の慣習が変わっていった。

一例を挙げると、高校1年目が重要な転換点だということを踏まえて、実力のある教師に1年生を教えさせるようにした。こうして優先順位が逆転した。優秀な教師は程度の高い2、3年生を教えたがるものだが、優秀な教師陣を必要としているのは1年生だった。

またＦＯＴ指標というレンズを通して見ると、シカゴの公立高校の規律方針は逆効果だとわかった。「この取り組みが始まったころ、生徒はしょっちゅう2週間の停学処分を食らっていました」とサラ・ダンカンは言う。「学校に銃を持ってきたわけでもないんです。殴り合いでもない、ただ廊下で小競り合いをしただけでですよ」

いわゆる「ゼロ容認」の厳しいルールで通していた。

しかし、ただでさえ勉強に苦労している高リスクの生徒が、2週間も登校禁止になったらどうなるだろう？　授業についていけず、単位を落とし、軌道を外れ、卒業できなくなるのは目に見えている。この厳しい規律方針が、生徒が社会で成功する見込みまでつぶしてしまいかねないことに、学校側は気づいていなかった。

どんなシステムも、設計された通りの結果を生み出しているのだ。

だが最も変わったのは、教師の考え方だった。「FOTの取り組みは、教師の仕事観を変えます。教師と生徒の関係性を変えるんです」と、研究者のイレーヌ・アレンズワースは言う。「『宿題を出して点数をつけさえすればいい』から、『クラスの全員を進級させるのが自分の仕事だ。手こずっている生徒がいれば、原因を突き止めなくては』に意識が変わります」

＊「相関関係は因果関係ではない」という、おなじみの注意書きが、ここにも当てはまる。FOT指標の点数を上げても、卒業率が高まるという保証はなかった。だが両者が因果関係にあると信じるだけの根拠があったし、もちろんそれを証明するための検証も行われた。

自分の仕事は生徒を評価することではなく、支援することだという教師の気づきが、すべてを変える。教師間の協力体制を変える。

あなた1人の力では、四苦八苦している生徒を十分に助けられない。あなたが生徒に接するのは1日1時間だけかもしれない。落ちこぼれているのはあなたの担当教科だけなのか、それとも複数の教科なのだろうか？　学校にはちゃんと出てきているのか？　ほかの教師は生徒に連絡を取る方法をわかっているのか？　要するに、生徒のことをもっとよく知る必要があり、そのためにはほかの教師との連携が欠かせないということだ。

上流での対処は「莫大なメリット」を生む

それまで教師は社会科や国語科などの教科ごとに集まって会議をしていた。だがいまでは「新入生成功チーム」として、科目に関係なく集まっている。学区から提供される、個々の生徒のリアルタイム情報を分析するために、定期的にミーティングを開いている。こうして初めて、**一人ひとりの生徒の進捗状況を多面的にとらえられるようになった。**

「教師のすばらしい点は、どんな思想の持ち主であろうと、マイケルという生徒の話になれば、マイケルのことだけを親身になって考えるところです」とペイジ・ポンダーは言う。「つまり、具体的に何をすべきかという話になるんです。……『マイケルを来週はどうしよう?・』と」

生徒のニーズは一人ひとり異なる。アリーヤは数学の補習が必要だが、自分からはけっして言い出さない。だが勧めればちゃんと受ける。マリクは毎朝妹を小学校に送っていくので、必ず遅刻する。だから遅刻のせいで主要科目を落とさないように、1時間目に選択科目を持ってくる必要がある。

ケヴィンは怠け者で宿題をできるだけサボろうとするが、母親に頼めば目を配ってくれる。ジョーダンが授業を休んだときは、毎回家に電話をかけたほうがいい（FOTの取り組みでとくに大事なのが出席管理だ。ポンダーいわく、「あたりまえのことですが、学校に顔を出していれば卒業できるんです」）。

生徒ごと、会議ごと、学校ごと、学期ごとに、数字が変わり始めた。生徒の出席率と成績、FOT指標が改善していった。そして4年後には、誰も予想しなかったほど多くの生徒が卒業した。2018年になると、卒業率は78%に跳ね上がっていた。過去20年間の平均に比べ25ポイント以上の上昇だ。数百人の教職員や研究者の上流活動が生んだ成果である。

ざっと計算すると、2008年から2018年までの間に、シカゴ学区の取り組みがなければ中退していたであろう3万人の生徒が、高校の卒業資格を得た。本人たちは知るよしもないが、もしこの取り組みが延期や中止になっていれば、彼らは高校を中退していまよりずっと苦しい生活を送っていた可能性が高い。

だが彼らは無事卒業し、その結果、生涯賃金は平均30〜40万ドル増えた。つまりシカゴ学区のリーダーは**上流活動で100億ドルにも相当する勝利を挙げ、その額はいまも増え続けている。**しかもこの数字は、卒業による収入の増加だけを集計したもので、高収入がもたらす健康や幸福度の向上といったほかの多くの好ましい波及効果は含んでいないのだ。

放射線科医が見逃す画像

シカゴ学区の成功物語には、これから見ていく多くのテーマが盛り込まれている。上流で成功するリーダーは、問題を早期に検知し、複雑なシステムのテコの支点に狙いを定め、成果を確実に測る方法を見つけ、新しい協力体制を整え、成功が続くようにその方程式をシステムに組み込まなくてはならない。

だが忘れてはいけない点として、シカゴ学区のリーダーは変革を起こすために、まず問題盲から目覚める必要があった。見えていない問題や、残念だが仕方がないと思い込んでいる問題（フットボールは厳しいスポーツだから、ケガをするのは仕方がない、など）は、解決しようがない。

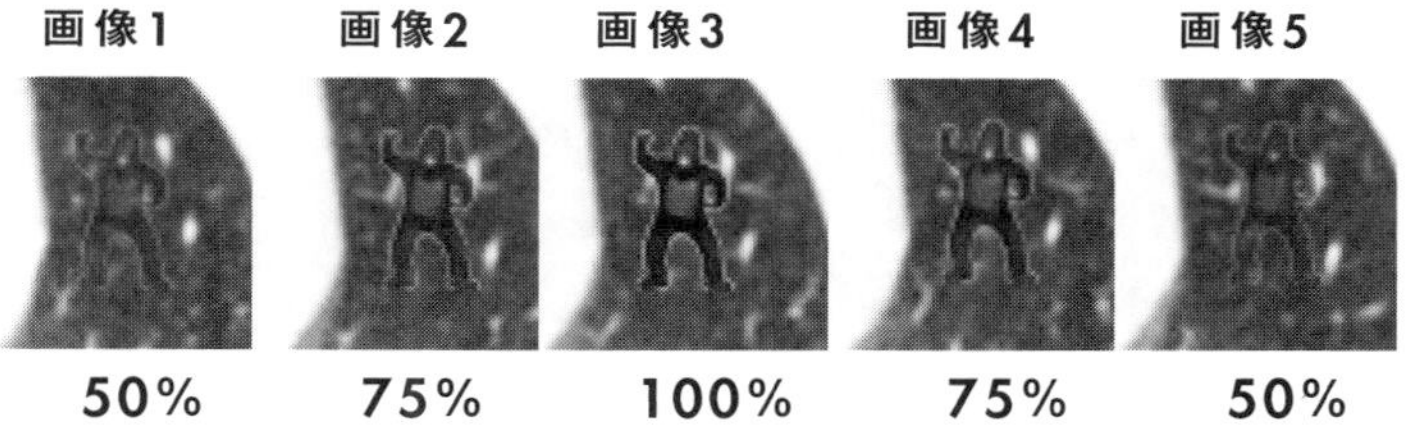

画像1　画像2　画像3　画像4　画像5

50%　75%　100%　75%　50%

なぜ問題が見えなくなるのだろう？　これを考えるために、上の図を見てほしい。これは胸部のCTスキャン（コンピュータ断層撮影）のスライドだ。放射線科医が肺がんを見つけるために分析するものだ。何かおかしな点があるのに気づいただろうか？

そう、肺の中にちびゴリラがいるが、別に患者が吸い込んだわけじゃない。トラフトン・ドリュー率いる研究チームが、放射線科医にちょっとしたいたずらをするために忍び込ませたのだ（画像の下の%はゴリラの不透明度を示す）。がん性の肺結節を探すことに集中していた放射線科医のうち、ゴリラに気がついた人は何人いただろう？　そんなにいなかった。24人中、20人がまったく気づかなかった。これが、「**非注意盲**」と呼ばれる現象だ。何かの仕事に気を取られていると、その仕事とは無関係な重要情報を見落としてしまう。

非注意盲になると、周辺視野が狭まる。これに時間のプレッシャーが加わると、好奇心が失われる――いまの仕事に集中し続けなくてはという思いで頭がいっぱいになる。

教師や校長は、来る年も来る年も生徒のテストの得点を上げるよう迫られ、そのために必要な資金も得られず、規制や教育課程の変更への対応に追われるうちに、周りのことが目に入らなくなる。CTスキャンの画像を調べることに熱中してゴリラを見落とした放射線科医と同じだ。そのうちに、卒業率のことなど頭から抜け落ちてしまう。すでにほかの仕事で手一杯だし、だいいち自分に何ができるというのか？

ちなみに、放射線科医のことを笑っていた人は、数ページ前から、**下のページ番号の代わりにこびとの妖精が印刷されているのに気がついていただろうか？**

僕が前に行った実験では、半数の人が気づいたが、残りの半数は気がつかなかった。気づいた人も、何ページか続くうちに関心が薄れていったのではないだろうか。

最初に目に入ったときは「なんだこれ？　こびとか？」と思っても、二度目は「またか」になり、四度目になると意識から消えている。これが慣れだ。同じ刺激にくり返しさらされると慣れてしまう。部屋に入ったときはエアコンのブーンという音が気になっても、5分も経つとそれが常態（あたりまえ）になる。

問題は「常態化」すると見えなくなる

「常態化」という、この最後の点を説明するために、恐怖症の治療に「慣れ」が利用されることを考えてみよう。たとえば針恐怖症の人は、針の画像を見たり、針を手に持ったりすることを繰り返すことによって、いわれのない恐怖心を克服する。そうやって針にまつわる負のイメージをなくしていく。針があることが常態になるのだ。

治療の観点から言えば、常態化は望ましい。だが慣れにはよい面もあれば、悪い面もある。たとえば汚職や虐待が常態化したらどうなるだろう。

１９６０年代や70年代にはセクシャルハラスメントが職場で常態化していて、女性はそれを積極的に受け入れるべきだとさえ考えられていた。コスモポリタン誌の編集者を長年務めたヘレン・ガーリー・ブラウンは、１９６４年の著書『性と職場』（未邦訳）にこんなことを書いている。

「一般に既婚男性は、性の対象として見ていようといまいと、魅力的で従順な女性を周りにはべらせることを好みます（それが間違っているなんて、私には言えません！）。あなたを自分のコレクションに加えようとしているわけではなく、ただ男性全般に対するあなたの姿勢を確かめたいだけなのです。男の言いなりになるくらいなら疎まれる方がまし、と考えるお高くとまった女性は、たとえ悪気がなくても、男性の仕事の楽しみを台無しにします。ある繊維会社の魅力的な女性重役はこう言いました。『男性に仕事を邪魔されるくらいなら、色目を使われる方がずっといいわ』と」

嘘じゃない、本当にそう書いてあるのだ。セクハラが常態化した世界にいると、それがおかしいとは思わなくなってしまうようだ。

　全米事務管理協会の1960年の調査によると、対象企業2000社のうちの30％が、受付係や電話交換手、秘書を採用する際にセックスアピールを「重視する」と答えた。

「セクシャルハラスメント」という言葉は、コーネル大学で女性と仕事に関する講座を受け持っていたジャーナリストのリン・ファーリーが1975年につくった造語だ。

　ファーリーは「意識向上」集会に女子学生を招待して、職場での経験について質問した。「学生たちは一人残らず、上司の性的な誘いを断ったせいで、仕事を辞めざるを得なくなったか、クビになった経験がすでにありました」と、ファーリーはラジオ番組「オン・ザ・メディア」の司会者ブルック・グラッドストーンとの2017年の対談で語った。

　ファーリーはこうした共通の経験を的確に表す「ラベル」のような言葉はないだろうかと思案をこらし、「セクシャルハラスメント」という言葉を思いついた。のちにニューヨーク・タイムズ紙への寄稿にこう書いている。「働く女性はこの言葉に飛びついた。日々経験していた性的強要を表す言葉がようやく現れたのだ。もう友人や家族に、『強引に言い寄られて辞めざるを得なくなった』といちいち説明する必要はなくなった」

　先に、慣れは問題となっているものを常態化させることによって、恐怖症を克服するのに役立つと説明した。だがファーリーは「セクハラ」という言葉を広めることによって、その逆を行った。

彼女は常態を問題視した。女性に対する威圧的な扱いを「異常」なこととして分類し直し、負のイメージをかぶせたのだ。問題に名前をつけることによって、社会を問題盲から目覚めさせた。

「見て見ぬ振り」をしてしまう

問題盲は科学的な現象というだけでなく、政治的な現象でもある。私たちは生活の中や社会において、「何を問題と見なすか」について絶えず駆け引きを行っている。

なぜこういった駆け引きにこだわるかというと、**何かがいったん「問題」と見なされると、解決策を見つけることが暗黙の義務になるから**だ。

この駆け引きは、「問題などない」と思い込もうとする依存症患者のように、自分の心の中で行うこともあるし、心理療法を受けるべきかを相談する夫婦のように、親しい人との間で行うこともある。社会には山のような問題があり、そのすべてが資源と注目を得ようとしてしのぎを削っている。

ときには問題が取り越し苦労に終わることもある。ロンドンで6万頭を超える馬が交通手段として使われていた1894年に、タイムズ紙がこんな予測を発表した。「50年後にはロンドン中の道路が高さ9フィート〔約2・7メートル〕の馬糞で埋め尽くされるだろう」

この悪夢が物理的にあり得ないという点は、ひとまずおいておこう（最後の1フィート分はどうやって馬糞の山の上に積まれるのだろう?）。

これは根も葉もない懸念ではなかった。6万頭の馬の1頭1頭が、1日当たり約7キロから16キロもの馬糞を「生産」していたのだから。1898年にニューヨーク市で開かれた第1回国際都市計画会議で議論されたのは、馬糞の危機だった。さいわい、ご存じのようにそんなことは起こらなかった。自動車の発明によって危機は避けられた（そしていまや自動車が排出する二酸化炭素や微粒子が大問題となっている）。

その決断の「本当の理由」は何か?

現代の問題盲との戦い、つまり人々を問題に目覚めさせ、力を結集して対処しようとする取り組みを内側から見るために、ブラジルの活動家デボラ・デラージェの足跡をたどろう。彼女が問題に目覚めたのは、娘を出産したときだった。

2003年8月、妊娠37週に入っていたデラージェが、サンパウロ州サントアンドレ市の産科医院に定期検診に行くと、もう分娩が始まっていると医師に告げられた。陣痛がとても弱かったのでまだだと油断していた。デラージェは子宮の筋肉を収縮させて分娩を早める働きのあるオキシトシンというホルモン（商標名ピトシン）を投与された。

12時間後、医師は帝王切開を行うことを決め、娘のソフィアを取り上げた。母子ともに健康で、回復も順調だった。

デラージェは子どもが無事生まれたことに感謝したが、出産時のことを思い返すにつれ、納得できない気持ちになった。なぜ分娩を早める必要があったのだろう？　なぜあんなに帝王切開を勧められたのか？

デラージェは出産時の経験について話し合う母親のインターネット掲示板を見つけた。多くの母親が、自然分娩を希望していたのになぜか帝王切開にされるという、彼女と同じ経験をしていた。多くの母親が、自然分娩をあきらめるよう医師に説得されていた。「自分が経験したことが、ブラジル中の多くの女性に起こっていることを知りました。誰もが同じ経験をしていたんです」と彼女は語る。

この発見を裏づけるデータはすぐに見つかった。帝王切開率は国によって大きく違う。たとえば2016年で見ると、スウェーデンは全出生数の18%、スペインは25%、カナダは26%、ドイツは30%、アメリカは32%を帝王切開が占めていた。そしてブラジルの2014年の帝王切開率は世界でもとくに高い57%だった。またブラジルの富裕層が好む民間の高級医院では、**84%もの赤ちゃんが帝王切開で生まれていた**。

帝王切開は言うまでもなく、母子にリスクのある大手術だ。もちろん、状況によっては命を救うこともあるだろう。だがこの84%という率を見ると、リスクや危険を避けるために行われているのではないのは明らかだった。何らかの便宜的な理由で行われているようだった。

自然分娩から帝王切開へのシフトを促している要因は何なのか？　帝王切開は計画的に出産できるから便利だという女性もいた。またブラジルの民間医院では、帝王切開は一種のステータスシンボルになっていた。帝王切開とマニキュア、マッサージをセットで提供する超高級医院さえあるという。

だが最も説得力があったのが、医師が帝王切開を好むという説だった。医師は帝王切開なら次から次へと出産を片づけていける。夜間や週末、休暇中に働く必要もない。帝王切開には経済的にも大きなメリットがあった。24時間体制で昼夜を問わず働かなくてはならない自然分娩より、**1、2時間ほどですむ帝王切開の方がずっと効率的で儲かる**のだ。

これまで見えていなかった現実

こうした構造的な理由のほかに、文化的な理由もあった。

「出産は原始的で醜く苦しく不都合なものだという考えがあります」と、サンパウロ大学公衆衛生学教授のシモーヌ・ジニスが、医師の自然分娩に対する見方をアトランティック誌に語っている。「出産の経験は恥ずかしいものだという考えです。『アレをしているときは文句も言わなかったのに、いまになって泣き言を言うのか』と、分娩中の女性を嘲笑する医師もいます」

こんな暴言は極端な例だと思うかもしれない。だがブラジルの女性によれば、そうではない。ブラジルで出産した女性1626人を対象とした調査で、約4人に1人が医師に行動をからかわれたり、苦痛に悲鳴を上げると文句を言われたりしたと答えた。また半数以上の女性が、出産時に「引け目や無防備な気持ち、不安」を感じたと報告している。

帝王切開を受けて困惑したデボラ・デラージェが、ブラジルの出産について調べたときに知ったのは、そんな現状だった。インターネット掲示板で、母親たちが同じような経験をしていることを知り、何らかの変革が必要だという思いを強くした。

デラージェは母親の声を代弁する組織、パルト・ド・プリンシピオ（簡単に訳せば「信念に基づく出産」の意）に加わった。

パルト・ド・プリンシピオは2006年に、研究論文であり声明書でもある35ページの文書を連邦検察局に提出し、ブラジルの出産には問題があると訴えた。

この研究によれば、圧倒的多数の女性が、希望していた自然分娩を受けられず、代わりに帝王切開を受けさせられ、結果として母子の健康を脅かされていた。研究は問題の根本原因を説明し、医療機関への提言を示した。

政府内にも、パルト・ド・プリンシピオの活動の賛同者が増えていった。その1人が、ブラジルの民間健康保険の規制機関、国民健康保険庁で働く助産師で、妊産婦保健の専門家、ジャクリーヌ・トーレスだ。

トーレスは帝王切開偏重の風潮に負けずに自然分娩を推進する人たちを探して全国をまわり、医師のパウロ・ボーレム博士にたどり着いた。

ボーレム博士はサンパウロの北約320キロのジャボチカバルという町で、自然分娩率を高める試験的プロジェクトを地道に進めていた。賛同してくれる医療機関は、当初なかなか見つからなかったという。この考えを持って初めて病院を訪問したときのことを、彼はこう言っている。

「笑われましたよ、『ばかばかしい、女性も医師も帝王切開を望んでいるんですよ。それのどこが悪いんですか』ってね」（まさに問題盲だ）

だが変革に前向きな地元の病院が見つかった。

「いまの状況を変えたいと、医師たちは言っていました」とボーレム博士は言う。「NICU（新生児集中治療室）に送られる新生児が多過ぎると。そのことを心配していました」

帝王切開で生まれた赤ちゃんは、早産児に特有の呼吸障害でNICUに送られることが多いのだ。

常態化している「異常」を見つける

プロジェクト開始当時、この病院の自然分娩率はわずか3％だった。「病院のシステムは、帝王切開を生み出すべくして生み出していました」と博士は言う。

博士らはシステムに手を加え始めた。

計画的な帝王切開を（それまでの37週から）40週より前に行うことを医師に禁じた。医師を交代制にして、当直中に起こった分娩だけを担当させた。自分の担当患者の分娩であっても、当直中でなければ、別の医師が扱った（それまでは自分の担当患者の赤ちゃんを取り上げていたため、帝王切開を計画しやすかった）。出産まで一貫したケアを行うために、患者には助産師が割り当てられた。報酬体系を調整して、医師の収入が減らないように配慮した。

9か月後、自然分娩率は40％に跳ね上がった。

国民健康保険庁のトーレスは、こうしたボーレム博士の取り組みを知って、全国的に適用できそうな方法が見つかったと確信した。そして2015年、ジャボチカバルでのボーレム博士の取り組みの拡大版である、プロジェクト・パルト・アデクアド（適切な出産プロジェクト）という大規模プロジェクトを開始した。

最初の18か月間の取り組みに参加した35の病院で、自然分娩率は20％から37・5％に上昇した。また12の病院で、NICUに入る赤ちゃんが大幅に減少した。合わせて1万件以上の帝王切開が回避された。2017年に開始した第2段階では、参加病院数は3倍以上に増えた。

プロジェクトの協賛組織の1つ、医療改善協会の会長ペドロ・デルガードはこう言っている。「第1段階の結果を見て、希望が湧いてきました。ブラジルには、こんな変革ができるんだと。そして同じように帝王切開率の高いエジプトやドミニカ共和国、トルコなどの国々でもできるはずだと」

まだまだ先は長い。現時点でプロジェクトに参加しているのは、ブラジル全土の6000を超える病院のうちのほんの一部でしかない。だが変化の兆しはある。ボーレム博士の提案を当初一蹴した地域でも、いまや多くの病院がプロジェクトへの参加を待っている。

参加病院の産科医で、プロジェクト・パルト・アデクアドの連絡係を務めるリタ・サンチェス医師は、この取り組みのことを知って目からウロコが落ちる思いだったという。

「はたと気づいたんです。うちの病院は帝王切開率が高すぎると。20〜30年前に比べてずいぶん高くなっていました。そこで、なぜなのか、どういう経緯を経てそうなったのかを考え始めました。帝王切開のリスクや自然分娩のよさを患者に説明することさえしていませんでした。私たち医師は、システムの変化に気づいていなかったのです」

問題盲からの脱却は、異常が常態化していることに気づいた衝撃から始まる。ちょっと待った、なぜ帝王切開にしろという無言の圧力を感じたのだろう? ちょっと待った、なぜ高校の卒業率が52%でも仕方ないと思うようになったのだろう?

改善は不満足から生まれる。

続いて、仲間探しが始まる。同じような思いをしている人がほかにいないだろうか(デラージェは「自分が経験したことが、ブラジル中の多くの女性に起こっていることを知りました」と言った。セクシャルハラスメントという言葉について、ファーリーは「働く女性はこの言葉に飛びついた。日々経験していた性的強要を表す言葉がようやく現れたのだ」と書いた)。これは問題だ、同じように感じている仲間がいる、という気づきが力になる。

すると続いて、驚くべきことが起こる場合が多い。自分のせいではない問題を、みずから進んで改善しようとする人たちが現れるのだ。ジャーナリストが、セクハラを耐え忍ぶ数百万人の女性のために戦おうと決意する。帝王切開を受けさせられた女性が、会ったこともない大勢の母親の代弁者となる。

上流活動の推進者はこう考える。

この問題を生み出したのは私ではない。でも、それを解決するのは私だ。

次章ではこの意識転換と、それがどんな変化につながるかを見ていこう。

CHAPTER

3

当事者意識の欠如

——自分で解決できるのに気づかない

レイ・アンダーソンは1994年まで、世の起業家たちがうらやむキャリアを歩んでいた。工業用カーペットの製造会社インターフェースをゼロから立ち上げ、年商約8億ドルにまで育て上げて、上場を果たした。だがその後、本当にこれでよかったのだろうかと、自分の功績に疑問を持つようになった。

ジョージア州の小さな町で育ったアンダーソンは、アメリカンフットボールの奨学金を得てジョージア工科大学に進学し、卒業後カーペット業界で働き始めた。1969年に訪れたイギリスのキダーミンスターで、モジュール式のタイルカーペットに出会い、一目で魅せられた。

一般的な広幅カーペットは、幅3・6メートルほどの大きなロール単位で販売される。そのため、オフィスの間取り変更や汚れた部分の張り替えを行うには、かなりの面積をはがして交換する必要がある。だが45センチ四方のモジュール式タイルカーペットなら、張り替えは簡単だ。必要な部分だけはがして、新しいものを接(つ)ぎ直せばいい。接着剤さえ必要ない。

「自分」に何ができるだろう？

アンダーソンは1973年に38歳でインターフェースを設立し、アメリカでタイルカーペットを大々的に売り出した。インターフェースは20年にわたってめざましい成長を続け、1994年には世界有数のカーペット会社になっていた。

この年、当時まだあまり聞かない言葉だった「環境の持続可能性」に、会社としてどのような姿勢で取り組むかを社内で話し合うことになり、アンダーソンは社員向けに講演をしてほしいと頼まれた。この問題について顧客からぽつぽつ問い合わせが来るようになっていたのだ。

アンダーソンは何を話せばいいのかわからなかった。このときまで環境については、法律に従ってさえいればいいという程度の認識しかなかった。

そんなとき、ポール・ホーケンの著書『サステナビリティ革命――ビジネスが環境を救う』（ジャパンタイムズ）が、たまたま送られてきた。ホーケンはこの中で、環境を破壊するような企業経営者の活動を糾弾していた。ホーケンは園芸用品の小売チェーン、スミス&ホーケンの共同創業者という実業家の立場から、人為的な環境危機に瀕した世界経済を守る義務が企業経営者にはあると訴えていた。

ほかの企業経営者なら、感傷的な考えだと退けたかもしれない。だがアンダーソンはさめざめと涙を流した。

アンダーソンはこのとき60歳で、引退を目前に控えていた。彼の最大の功績はインターフェースの成功だった。しかしその成功は、大きすぎる犠牲の上に築かれたのではないだろうか、自分は後世に何を遺すのだろうかと自問した。レイ・アンダーソン――自分と株主の私腹を肥やすために、地球資源を略奪した人物。

「ホーケンの言葉は槍のように胸に突き刺さった。その槍はいまなお刺さっている」と、彼は回顧録に記している。

だが現実問題として、自分たちに何ができるだろう。インターフェースの主力事業は、ナイロン製のタイルカーペットの製造販売だ。そしてナイロンは、石炭や石油に含まれる化学物質を原料とするプラスチックの一種である。インターフェースは化石燃料を燃やしたエネルギーを使って、化石燃料を原料に製品を製造していた。つまり持続可能性に二重の打撃を与えていたことになる。

アンダーソンは絶望的な気持ちになった。自分のやってきたことが深刻な問題を生んでいることを知ったいま、いったいどうしたらいいのだろう？

問題を「自分のもの」としてとらえ直す

イェール大学ロースクールの副学部長ジーニー・フォレストは、あるとき教授会でうしろの方に座っていた。前に座っていた男性の頭が邪魔で、発表者がよく見えなかった。

「その大きい頭がやたらと人なつっこい頭だったのよ。ほら、よくいるでしょう、熱心に話を聞きながら、こっち側に頭を傾けたかと思うと、またあっち側に傾ける人。ほんとにイライラしたわ。だから私も対抗して、逆側に頭を傾けてみたの。彼が左に傾けば私は右に、右に傾けば左に。でもそのうちますます腹が立ってきて。……そこでハッと気がついた。**イライラするのをやめて、イスをずらせばいいじゃないい**って。だからずらしたわ」

一件落着だ。

フォレストは「あたりまえのこと」に気づくのにこれほど時間がかかったことに苛立った。自分の力で「問題」を解決できるのに、それに気がつかなかった。そしてこの「イスずらし」の瞬間を、教訓としてしっかり胸に刻んだ。「ばかげた問題にイラッとするたびに、こう思うのよ。イスをずらせばいいじゃないって。これが、新しい方法を試さなければという、戒めの言葉になった」とフォレストは言う。

フォレストは最初、「頭が邪魔で発表者が見えない問題」を、自分ではどうにもできない問題だと思っていた。だがすぐに意識を転換して、問題を自分のものとしてとらえ直した。イスをずらせばいいじゃない？　この意識転換が、防止の取り組みには欠かせない。

上流活動には不思議な点がある。とても重要な取り組みなのに、必須ではなく任意であることが多いのだ。救助や対策、対応などの下流活動には、やるかやらないかの選択の余地はない。医師は心臓手術を拒否できないし、介護士はおむつ替えを拒否できない。これに対し、上流活動はほかから強制されるのではなく、自由意思で行うものだ。

そのため、誰かが「当事者意識（オーナーシップ）」を持ってその活動をすると決めなければ、根本的な問題はいつまで経っても解決しない。

この「当事者意識の欠如」が、下流活動が偏重されがちな2つ目の理由だ。

1つ目の理由である問題盲は、「問題が見えないこと」（または仕方がないと思ってしまうこと）だった。これに対し当事者意識の欠如は、「**問題を解決できる立場にある人が、それを解決するのは自分ではないと思ってしまうこと**」だ。

この2つの理由は束になることが多い。

シカゴ学区を考えてみよう。卒業率への対策を取れずにいたのは、問題盲のせいだった。

「たしかに中退する生徒は多いが、そういうものだから仕方がない」。だがそれだけではなかった。教職員の間に、たとえ低い卒業率が問題だとしても、それを解決するのは自分たちではない、という思い込みがあった。「解決するのは生徒自身だ」、または「親だ」「社会だ」と思っていた。

そしてその考えは、ある意味では正しい！　高校中退で最も打撃を受けるのは、生徒自身とその親なのだから。だが本当に考えなくてはならないのは、「誰がいちばん打撃を受けるか」ではない。**「問題を解決できる最適な立場にいるのは誰か？　その人たちは行動を起こすだろうか？」**だ。

シカゴ学区のリーダーは、卒業率の低さは「自分たちの問題だ」と考えを変えた。問題に対して当事者意識を持ったのだ。

「行動を起こす資格がない」と思ってしまう

なぜ問題が「当事者」を失ってしまうことがあるのだろう？

利己主義が妨げになる場合もある。たとえばタバコ会社は、自社製品による多くの死を防ぐことができる最適な立場にあるが、それを行うと当然、売上に支障が出る。

またときには「責任の細分化」という、罪のない理由が妨げになることもある。エクスペディアでは、「顧客からの問い合わせ」の問題に関与する人は大勢いたが、「問い合わせ件数を減らす」という問題に当事者意識を持って取り組むチームは1つもなかった。

また、**自分には問題に対処する資格がないと思い込んで傍観してしまう**場合もある。たとえば大学のキャンパスでデートレイプ〔顔見知りによる合意のない性行為〕の問題が多発していることを知った男子学生は、女子学生の抗議運動に参加するのをためらうかもしれない。

スタンフォード大学のデール・ミラーとダニエル・エフロン、ソニア・ザクは、ためらいに関する研究で、こんなふうに述べている。「抗議運動への参加をためらうのは、抗議する意欲がないからではなく、自分には抗議する資格がないと思うからだ」

彼らはこの資格のあるなしの感覚を、訴訟用語の法的適格性にならって、「**心理的適格性**」と呼んでいる。

司法制度では、ただ何かが気に障るというだけでは訴訟を起こせない。それが自分に実害をおよぼしていることを示す必要がある。自分が実害を被(こうむ)っているという証拠が、訴訟を起こす法的適格性を与えてくれる。抗議運動への参加をためらう男子学生は、自分は害を受けていないから、「参加する心理的適格性がない」と感じるのだろう。

抗議運動を行う女子学生は、参加をためらう男子学生の心理的適格性をどうしたら拡大できるだろう?

驚くほど簡単な方法がある。ミラーは研究仲間のレベッカ・ラトナーとともに、プリンストン大学の学生を対象に実験を行った。まず「提案第174号」と名づけた、架空の法案を読んでもらった。国の予算を有意義なことから無意味なことに振り向けるという、学生の「正義感を逆なでする」ような提案だ。

このとき一部の学生には、この再配分によってとくに女性が害を被ると説明し、残りの学生には男性が害を被ると教えた。

男子も女子も、提案に同じくらい強く反対した。研究者が調べようとしたのは、学生がその反発を行動に移すかどうかだった。そこで学生に、「提案第174号に反対するプリンストン同盟」という組織に協力したいかどうかを訊ねた。

すると、法案が成立すれば実害を被ると伝えられた学生（つまり、男性に害があると伝えられた男子学生と、女性に害があると伝えられた女子学生）のうち、94％が提案に反対する嘆願書に署名すると答え、50％が抗議文を書くと答えた。

一方、実害がないと伝えられた学生では、それぞれの割合は78％と22％にとどまった。学生は男女とも同じくらい提案に反対していた。なので、割合が低かった理由は、利己主義のせいではなく、心理的適格性にあるのではないかと研究者は考えた。男性は「女性の大義」のために、女性は「男性の大義」のために戦うことに抵抗を感じたのではないか。

どうすれば「当事者意識」を持たせられるか？

この直感を確かめるために、研究者は組織の名称を「提案第174号に反対するプリンストン男女同盟」に変えて、同じ実験を行った。「男女」という言葉を加えたのは、心理的適格性を男性と女性の両方に広げる簡単なアイデアだったが、効果があった。嘆願書に署名したい、抗議文を書きたいと答えた学生の割合は、実害を被る学生と被らない学生とで同じになったのだ。

とはいえこの研究は、架空の嘆願書に署名したり提案に抗議したりする時間がたっぷりある学生が集う、プリンストン大学という学問のオアシスでの話だった。この方法は、学問の世界以外でも心理的適格性を拡大することができるだろうか？

「心理的適格性」という言葉ができるはるか前の1975年のこと、自動車安全の活動家アンマリー・シェルネスと小児科医シーモア・チャールズが、アメリカ小児科専門誌ピディアトリクスに論文を発表した。

この論文は小児科医に対し、あなた方が解決すべきだと思っていない問題に、当事者意識を持って取り組んでほしいと訴えていた。すなわち、自動車事故による子どもの死傷という問題である。当時の子ども（新生児を除く）の死亡原因第1位は自動車事故だったが、事故の蔓延は問題視されていなかった。そしてこの論文によれば、**車の外よりも中で死傷する子どもの方が多かった**。

論文がピディアトリクス誌に発表されたとき、すべての新車の運転席と助手席にシートベルトを設置することは義務化されていたが、着用率は低かった。また子ども用の補助座席はあったが、普及していなかった（実は1930年代から存在するが、安全性を高めるためではなく、子どもがぐずって運転者をわずらわせないように、子どもの位置を高くして窓の外が見えるようにするためのものだった）。

いまどきの親にはとうてい理解しがたい状況だ。現代では幼児を座席に固定せず、後部座席で野放しにしたまま運転する親は、どんな社会的、法的制裁を受けるかわかったものではない。

だが1970年代にはそれがあたりまえの光景だった。いまのように子どもの安全がうるさく言われ出したのは、ごく最近のことだ。この変化には、これから紹介する物語が大きく関係している。

「心理的適格性」を拡大する

シェルネスとチャールズの論文は、自動車安全を呼びかけるのに最適な立場にいるのは小児科医だと訴えた。

「拘束具の使用は、予防接種にも匹敵する予防医療である。……子どもを車に『野放し』の状態で乗せることの危険性を親たちに警告するのに、子どものかかりつけ医ほど適した立場にいる者はない」

研究者たちが、小児科医の心理的適格性を拡大しようとしていることに注目してほしい――あなた方はこの問題に関して率先して行動を起こすべき人たちです、**これはあなた方が当事者意識を持つべき問題なのです**。

小児科医にとって、それは「当然担うべき」役割ではなかった。小児科医は病気を診断し治療する訓練は受けていたが、公共の安全を働きかけるよう教えられてはいなかった。だがこの問題に当事者意識を持ってほしいという呼びかけを、彼らは好意的に受け止めた。

呼びかけに応えた医師の1人、ボブ・サンダース博士は、2004年の回想録の中で、「あの論文は私にとって、またおそらく全米の小児科医にとっても衝撃的だった」と述べている。

サンダースはテネシー州マーフリーズボロ在住の小児科医で、郡の保健局長として予防医療に熱心に取り組んでいた。医学生時代には、テネシー州で初めてポリオワクチンの注射を行った。緊急治療室の研修医だったとき、赤ちゃんが安全ピンの誤飲で死亡するのを見てうちひしがれた。不必要な、防げたはずの死だった。「予防と治療という考えが、彼という人間の柱をなしていました」と、妻のパットが2018年に語っている。

サンダースは州安全委員会にも名を連ね、テネシー州でチャイルドシート使用を義務化する法案について1975年から話し合っていた。ピディアトリクス誌に論文が発表されると、委員会は早く動かなくてはと本腰を入れ始めた。

委員会は4歳未満の幼児のチャイルドシート着用を義務化する法案を起草した。法案は賛同者を得て1976年に議会に提出されたが、採決には至らなかった。

この失敗を踏まえ、ボブとパットのサンダース夫妻はロビー活動に精を出した。自宅のダイニングルームを作戦司令室に仕立て、連絡を取りたい議員や小児科医の名前をテーブルにずらりと並べた。ボブ・サンダースは毎週末のように州内各地に足を運び、説明を行った。

法案の反対者は、親の自由が侵害されると論じた。「子どもに対する親の権利を剝奪する法案です」と非難したのは、州議員のロスコー・ピッカリングだ。「貧しい人々に高価なチャイルドシートの購入を義務づけることには反対です」

パット・サンダースは子どもを持つ親から、「私には子どもを月行きのロケットに乗せる権利だってあるんです」という手紙を受け取ったこともあると、当時を振り返って語っている。

だが熱心なロビー活動が実り、ようやく1977年に児童乗車保護法が議会採決にこぎ着け、3分の2の賛成を得て可決された。* 1978年1月1日、テネシー州はアメリカの州として初めて4歳未満の幼児のチャイルドシート着用を義務化した。

上流活動で「1万人以上」の命が助かった

だが残念なことに、この法律には抜け穴があった。親の権利を主張するピッカリング議員が、「だっこ乗り」の修正条項を加えたせいで、親が赤ちゃんをだっこして乗車することが許されたのだ。

「赤ちゃんを産んだばかりの若い母親にとって、退院して赤ちゃんを胸に抱いてほうぼうを訪問することは、またとない喜びです」とピッカリングはテネシーアン紙の寄稿に書いている。「なぜ赤ちゃんをわざわざシートベルトで締めつけなくてはならないのでしょうか?」

ピッカリングの修正条項がある限り、完全な勝利とは言えなかった。法律は幼児の安全を保障したが、赤ちゃんの安全は親の選択に委ねられた。サンダースは「だっこ乗り」の修正条項を、「子どもつぶし」条項と呼び始めた。

法案通過後、サンダースは修正条項の撤廃を求めて奔走したが、敵は一歩も引かなかった。そんなとき、1981年の運輸委員会の公聴会で、2人の親が証言を行った。1人は、衝突事故に遭ったがチャイルドシートのおかげで命拾いをした、生後11週の赤ちゃんの母親。もう1人は、チャイルドシートを使用していなかったために衝突事故で亡くなった、生後1か月の赤ちゃんの父親だった。

「私たちは運悪く、チャイルドシートを持っていませんでした」と父親は言った。サンダースの調べでは、1980年に衝突事故で亡くなった3歳未満の子どもは11人で、うち9人が事故時に親にだっこされていた。

この証言が世論を動かし、修正条項は1981年に撤廃された。同年、ウエストバージニア州が幼児のチャイルドシート着用を義務化した3番目の州になり、1985年には全50州が幼児に拘束具の着用を義務づける法律を通過させたのである。

アメリカ高速道路交通安全局（NHTSA）の推計によると、1975年から2016年までの間に4歳以下の幼児1万1274人が、チャイルドシートのおかげで命拾いをした。

活動の影響が連鎖的に広がっていったことに注目してほしい。 2人の自動車安全の活動家が、この問題に関する論文を小児科専門誌に投稿した。それを読んだテネシー州の小児科医が、問題に当事者意識を持った。彼の働きかけによりテネシー州が腰を上げ、その影

＊ ボブ・サンダースの巧妙な戦略を紹介しよう。当時、テネシー州の知事が法案の署名を拒否するという噂があった。それを知ったサンダースは知事の孫の小児科医に電話をかけ、知事に働きかけてほしいと頼んだという（「米国小児科学会口述史：ボブ・サンダース」より）。

響で残りの49州も動いた。論文発表から40年後のいま、防げたはずの不慮の事故で命を落としていたかもしれない1万人以上の子どもたちが生きているのだ。

誰かが率先しなければ誰もやらない

ピディアトリクス誌の論文がサンダースを行動に駆り立てたように、ポール・ホーケンの著書はタイルカーペット会社インターフェースの創業者レイ・アンダーソンの心を揺り動かした。

「あの本を読んで、人生が変わった」と、アンダーソンは回顧録で述べている。「ガツンと殴られたような衝撃を受けた。……半分も読まないうちに、探し求めていた構想を得た。それも、依頼された講演の構想だけでなく、会社全体の構想だ。そして、何とかしなければならないという強い危機感を持った」

アンダーソンはサンダースに比べて不利な立場にあった。彼は対処しなくてはならない問題にただ気づいただけではなかった。彼の会社はホーケンが糾弾する問題を悪化させていたのだ。それに当時は環境への負荷を減らす方法も知らなかった。だがアンダーソンにはサンダースより有利な点もあった。彼はただちに解決に乗り出すことができた。会社を動かしていたのは彼だったのだから。

アンダーソンが１９９4年に講演を行うために社内の環境委員会に出席したとき、聴衆は何が待ち構えているかを知るよしもなかった。ありきたりの講演を聞かされるのだろうと思っていた。だが彼らが聞いたのは、決起の呼びかけだった。

アンダーソンは革新的な提案を行った。インターフェースが環境におよぼしてきた悪影響を取り除こうというのだ。われわれが環境におよぼしている破壊的な影響をすべて取り除こう。それも、カーペット事業でしっかり利益を上げながら行おう。

「環境委員会の決起集会で行った講演には、正直言って自分でも驚いたし、聴衆も腰を抜かしたが、それでも全員が行動を起こそうという意欲をかき立てられた」とアンダーソンは書いている。「誰かが率先しなければ、誰もやらないだろう。それはわかっていた。だからこう呼びかけたのだ。『**われわれがやればいいじゃないか**』と」

「新しい方法」で考える

「初めて社長からこのアイデアを聞いたとき、もうろくしちまったかと思いましたよ」と、当時のＣＦＯダニエル・ヘンドリックスがニューヨーク・タイムズに語っている。このころインターフェースは3年におよぶ不況の痛手からまだ完全に立ち直ってはいなかった。うまくいくかどうかもわからない新しい使命に挑む体力が果たしてあるのだろうか？

だがアンダーソンは後に引かなかった。まずはエネルギーと資源の使用量を減らすことに集中せよと、ハッパをかけた。社内の合い言葉は、「削減（リデュース）、再利用（リユース）、回収（リクレイム）、再循環（リサイクル）」になった。

驚くほど早く効果が出た取り組みもあった。ある部門で繊維工場のボイラーをコンピュータ制御にしただけで、一酸化炭素排出量が週2トンから年0・1トンほどに激減した。

成果はどんどん積み上がっていった。1995年から1996年にかけて、原材料の消費量を増やさずに、売上を8億ドルから10億ドルに増やすことができた。革命は効果を生みつつあった。「私たちは世界で初めて2億ドルの持続可能な収益を上げたのです」と、アンダーソンはファストカンパニー誌に語っている。

いまも社内で語り継がれる1997年の社内会議で、アンダーソンはのちに「ミッションゼロ」と呼ばれるようになった計画を説明した。2020年までに環境フットプリント〔環境への総合的な負荷〕をゼロにする計画である。

ゼロだ。

インターフェース社が「イスをずらした」のは、この瞬間だった。この問題を解決する責任は、われわれが負おう。

アンダーソンはミッションゼロを達成するための7本の柱を掲げた。

廃棄物を削減する。排出物を無害化する。再生可能エネルギーで工場を動かす。資源効率の高い輸送手段を使う。資源循環の「ループ」をつくる（廃棄物や排出物を回収し原料化する）。利害関係者の理解を得る（持続可能性の重要性を説明し、価値を認めてもらう）。資材提供から価値提供に焦点を移し、事業のあり方を変える。

アンダーソンは発想を転換しろと、チームを促した。

たとえばこんな例がある。

顧客は新しいカーペットを購入する際、古いものを廃棄することが多い。そうした古いカーペットを回収し、再資源化して、新しい製品につくりかえられないだろうか？

おもしろい考えだが、大きな障害が少なくとも2つあった。

第1に、カーペットを再利用する技術があるのかどうかもわからなかった。

第2に、再利用するカーペットをジョージア州の本社に輸送するのは、ミッションゼロの柱の1つである「資源効率の高い輸送手段を使う」に反していた。

理由を説明しよう。顧客の施設で剝がされ、廃棄されるカーペットの量は、一般に約4000〜5000平方ヤード（約3300〜4100平方メートル）だ。これを再資源化するには、トラックでジョージア州のインターフェースの工場に運ぶ必要がある。だがフルトレーラーを使えば一度にその10倍の量を運べることを考えると、その都度輸送するのは恐ろしく効率が悪い。

こうした障害があったので、カーペットを再資源化するという考えは、ほかのメーカーなら断念していたかもしれない。だがアンダーソンは、解決策を編み出すことをインターフェースのチームに求めた。

まず輸送の問題を解決するために、全米の提携先の協力を得て、400平方ヤードの廃棄カーペットが出るたびに保管してもらい、トレーラー1杯分になったところでジョージアの工場に運んだ。

その間にも、カーペットを再資源化する技術を世界中で探した。技術はドイツにあった。古いタイルカーペットを粉砕してビニール屑(くず)にし、新しいカーペットの裏地につくりかえる高価な裏張り機を購入した。かくして古いカーペットが、新しいカーペットに生まれ変わった。最後のピースが埋まったのだ。

なぜ人を動かせたのか?

アンダーソンが掲げた「世界を救う」という新たな使命に、社員は燃えた。不思議なことに、**どんな障害があっても、それを乗り越える方法が必ず見つかった。**最初は乗り気でなかったCFOのダニエル・ヘンドリックスも、考えを改めた。「夢を描き、それを実現させようという気運が生まれました」

地味なカーペットメーカーの求人に応募が殺到し始めた。デイヴィッド・ガーソンも、2000年にインターフェースの持続可能性の取り組みを知り、すぐに電話をかけた。ニューヨーク育ちの彼は、「いつか君はジョージア州ラグレンジのカーペット会社で働くだろうと、それ以前に言われていたら、きっと笑い飛ばしていたでしょう。ムッとしていたかもしれませんね」と笑う。彼はインターフェースで働き始めて、すばらしいものを手に入れた。「自分一人でできるよりもずっと大きなことを成し遂げられる場です」

2007年には、アンダーソンの構想が着々と実現に近づいていた。売上が49%増える間にも、化石燃料の使用量は45%減少した。水の使用量はたった3分の1に減り、ごみ廃棄場の利用も80%減少した。

アンダーソンの見るところ、インターフェースは目標に向かって順調に進んでいた。会社の持続可能性を高めることは、誰に要求されたわけでもない、彼らがみずからに課した目標だった。環境への影響を自分の問題としてとらえた。そしてそれは効果を生んでいた。

4年後の2011年に、アンダーソンは77歳で亡くなった。葬式の弔辞を読んだのは、アンダーソンが変わるきっかけとなった本の著者、ポール・ホーケンだった。

ホーケンはアンダーソンのことをこう語った。

「とても信頼の置ける人でした。それに勇敢でした。大勢の聴衆に向かって、あなた方が知っていることや学んだこと、やっていることのほとんどが地球を破壊していると、繰り返し訴えました。その一言一言が本心から出たものでした。だからこそ、数十万人の心を深く揺り動かしたのです」

誰もが幸せになる「おとぎ話」ではない

インターフェースの物語を、どう考えるべきだろう?

この物語にはおとぎ話のような一面もある。2012年にインターフェースは漁師に報酬を払って海に廃棄された漁網を回収してもらうプロジェクトの運営に携わった。漁網は海を汚染し、海洋生物を危険にさらしていた。

インターフェースは回収された網をスロヴェニアの工場に運び、ナイロン素材にリサイクルしてタイルカーペットに織り込んだ。タイルカーペットはその後購入されてアメリカのどこかのオフィスに設置され、いまその上を歩いている社員は、自分の足下にあるカーペットのメーカーが地球の海をきれいにしたなどとはつゆ知らずにコーヒーを取りにいく。魔法みたいな話だ。

他方株主にとって、企業としてのインターフェースの業績はそれほど芳しいものではなかった。レイ・アンダーソンがひらめきを得た1994年の初めから2018年末まで同社の株式を持ち続けた場合、年3・6%の利回りを得たことになる。これに対し、株式市場全体の利回りは9・06%だった。

これだけ見ると、環境保全活動のために株主の利益が犠牲になったとも取れる。だが別の可能性として、持続可能性への取り組みから生まれた製品開発力とブランド力によって、業績が押し上げられたのかもしれない。いずれにしても、誰もが幸せになるおとぎ話でないのは確かだ。

インターフェースの物語の教訓は、「問題防止の取り組みは必ず元が取れる」ということでもないし、「善意は必ず報われる」ということでもない。むしろ、「現状に甘んじるな」ということなのだろう。変われることを信じようじゃないか。

インターフェースはカーペットメーカーという業態の特性として、環境を汚染するのは仕方ない、と割り切ったとしてもおかしくはなかった。テネシーのボブ・サンダース博士は、政治は自分の手に負えないとあきらめ、小児科医として一生成功し続けることもできた。

彼らが胸に問いかけたのは、「この問題を解決できる人はいないのか?」ではなかった。「**自分はこの問題を解決できるだろうか?**」だった。問題を自分のものとして受け止めたのだ。

だがここで注目してほしいのだが、その試練を受け入れることは、レイ・アンダーソンにとっても、ボブ・サンダースにとっても、けっしてあたりまえのことではなかった。何かのきっかけで触発されたのだ。意欲をかき立てられたのだ。
私たちも、解決できるはずの問題を、知らず知らずのうちに放置していないだろうか？
どうしたら自分の目を開かせることができるだろうか？

「全責任が自分にある」と考えてみる

この疑問に答える手がかりをくれたのが、例のイスをずらした女性、ジーニー・フォレストだ。フォレストはイェール大学に来る前は臨床心理士やエグゼクティブコーチとして働いていた。その経験が、人間の動機を読み解く訓練になり、いまの管理職としての仕事に役に立っているという。

例を1つ紹介しよう。

2019年2月に職員の間で揉め事が起こり、フォレストは対処を迫られた。ある女性（仮にドーンと呼ぼう）は、別の女性（エレンと呼ぼう）の直属の部下で、ドーンはエレンにつねに軽く扱われ、正当に評価されていないという苦情を申し立てた。

フォレストは2人を自室に呼び、まずこう伝えた。

「悪いのは私です。説明するわね。2人がうまくいっていないようだという噂は前から聞いていたし、あなたたちの上司からも何か問題があるようだと聞いていました。そう聞いて、私はどうしたと思いますか？　2人で解決するでしょう、と思ったのよ。知らん顔をしたの。それを謝ります」

それからこう言った。「いまから1人ずつ、なぜこんな状況になったかを説明してもらいます。ただし、**その状況を招いた全責任が自分にあるかのように説明してください**」

2人はとても手こずり、すぐに責任のなすりつけ合いを始めた。

「私が指示を出そうとするたび、あなたはさえぎったでしょう。余計な質問ばかりして」とエレンは非難した。

フォレストは、「だめよ、それではドーンを責めているでしょう。あなたに全責任があるかのように説明してちょうだい」と言って、やり直しを命じなくてはならなかった。

やがて2人ともやり方を理解した。エレンは言った。

「ドーンに質問されたとき、嫌がらせだろうと思いました。つべこべ言わずに、言われたことをさっさとやればいいのに、と。でも、具体的にどういうところを改善してほしいのかを説明すべきでした」

ドーンは言った。

「エレンが私にため息をついたり、あきれたようなそぶりをしているのには気づいていましたが、その場では何も言いませんでした。でも本当はこう言うべきだったんです。『いまため息をつきましたね。でも何を求められているのか、わからないんです。わかるように説明してくれませんか』って」

（誤解のないように言っておくと、この「自分の非を認める」手法には限界がある。たとえば、上司が部下の女性にセクハラをしていたとしよう。そんな状況で、女性に「全責任が自分にあるかのように説明」させるのは、あまりにも理不尽だ。それでは被害者叩きになってしまう。この手法の狙いは、問題の原因がいろいろあるなかで、「行動の力点」になりそうなものを探すことにある）

「解決する力がある」と自覚する

女性たちは3人とも（フォレスト自身を含む）、最初はこの状況を「自分ではどうにもできない」と考えていた。そこへ、フォレストは「全責任が自分にあるかのように」状況を説明させることによって、彼女たちに力があることを認識させた。「問題の被害者」から「解決の共同当事者」に意識を転換させたのだ。

話し合いの6週間後に、フォレストは報告している。「いまでは2人は生産的に、楽しそうに働いています。ちょっと信じられないくらいに」

これはレイ・アンダーソンが社員に要求したことと本質的には同じだ。「環境汚染の全責任がわが社にあるかのように物語を語れ」

この視点から世界を見ると、どの角度から攻めれば問題を改善できるかが見えてくる。

ボイラーのコンピュータ制御、廃棄カーペットを溶解する技術、ナイロン製の漁網を海から回収する漁師への報酬など。前からそこにあるのに埋もれて見えなくなっていた、「因果関係の鎖」が浮かび上がってくるのだ。

フォレストの問いかけを利用すれば、複雑な状況から不要な情報を取り除くことができる。もし夫婦間の問題の全責任が自分にあると考えたらどうなるだろう？　もし会社が社員の健康の全責任は会社にあると考えたら？　もし教育学区が高校中退の全責任は学区にあると考えたら？

この問いを投げかければ、無関心と惰性を乗り越え、自分にできることを見つけられるかもしれない。誰かに要求されたからではなく、自分に解決できるから、解決する価値があるから、解決することを選ぶのだ。

CHAPTER 4

トンネリング
――「目の前の問題」しか見えなくなる

ジョン・トンプソンは仕事を半分引退してカナダのオンタリオ州ゴドリッチで暮らしていた。彼は1日2回の緑内障治療の目薬を忘れがちだった。そこで台所の流し台の上の窓枠に目薬を置くことにした。そうすれば朝コーヒーを淹れるときに必ず目に入る。

「窓枠の東側に置いて、朝の分だとわかるようにした」と言う。「朝目薬を差したら、今度は西側に置いておく。そうすれば朝の目薬がすんだことと、夜になったらまた差さなくてはならないことがわかるからね。夜の分が終わったら、また東側に戻しておくのさ」

窓枠システムが、トンプソンの問題を解決した。

リッチ・マリサもふだんの生活で上流のひらめきを得た。

「私がいつも電気をつけっ放しにするのを、妻は不満に思っていた。とくに、家を出入りするときの玄関の電気だね」とマリサは言う。

マリサはニューヨーク州イサカの近くに住み、アプリ開発の仕事をしている。玄関の電気は夫婦間に小さな摩擦を生んでいた。ささいではあるけれど、長年の口論のタネになるたぐいの問題だ（「またトイレのフタが開けっ放しじゃない！」）。

だがマリサは、口論を防ぐことができると気がついた。

離婚を申請すればいい。

ごめん、冗談だ。マリサが実際にやったのはこれだった。

「状況に向き合うことにした。タイマー付きの照明スイッチを買ったんだ。ボタンを押すと、5分だけ明かりがつく。その後自動的に消えるから、もう問題ではなくなった」

上流思考を「日常」に生かすには？

僕は研究でそういった物語を探した。起こった問題にただ対応するのをやめて、問題を防止した人々の物語だ。そして驚くほど感銘を受けたので、自分の生活も見直すことにした。日常的なイライラのタネを、ちょっとした上流の工夫で解決できないかと考えた。

たとえば、以前僕はノートパソコンの電源コードの抜き差しに四苦八苦していた。立派なオフィスの立派なデスクで働くよりも、カフェで働く方がはかどるのだ。だからいつもパソコンのコードをオフィスのコンセントから引き抜いて持ち運び、出先のコンセントに差していた。

そこで解決策として——心の準備はいいかな——2本目のコードを買った。

いまでは1本はデスクに備えつけにして、もう1本はバックパックに入れっ放しにしている。

とても簡単な話だ。必要なのは問題に気づいて、小さな計画を立てることだけ。だが僕がインタビューした人たちにそういう実例を挙げてほしいと頼むと、思いつくのに苦労する人が多かった（別に自慢しているわけじゃない。僕もコードの抜き差しを何年も続けていた。やっと腰を上げて解決しようという気になったのは、そう、この本を書くことになったからだ）。

そんなわけで、疑問が浮かんでくる。

上流思考がそれほど簡単で、繰り返し起こる問題の解決にそれほど効果があるというのなら、なぜ実行する人がほとんどいないのだろう？

考えてみれば僕自身も、ちょっとしたことで上流思考から脱線してきた。

家族の誰かが病気になったら、小さな改善のことなんか考えていられない。仕事や人間関係のストレスに参っているときもそうだ。それは直感的にわかるだろう。大きな問題が身に降りかかると、小さな問題は脇に追いやられてしまう。人にはすべての問題を解決するだけの処理能力はないのだ。

「小さな問題」が大きな問題を締め出す

じつはこの「処理能力」の問題は、見かけよりずっとたちが悪い。研究によると、お金や時間、心のゆとりなどが欠乏していると感じるとき、大きな問題が小さな問題を意識の外に締め出すのではない。困ったことに、**小さな問題が大きな問題を締め出してしまう**のだ。

たとえば、お金のやりくりに毎月苦労しているシングルマザーが、クレジットカードを限度額いっぱいまで使ってしまったとしよう。そんなとき、子どもが地元のバスケットボールリーグへの参加費用として、150ドルちょうだいと言ってきた。ダメだなんて言えない。子どもが近所で参加できる、数少ない健康的な活動なのだ。

でもお金はないし、次の給料日までまだ10日もある。だから近くの消費者金融でお金を借りることにした。1か月後に20%の利子をつけて返済しなくてはならない（年利換算で240%になる）。返済しないと借金は繰り延べられ、利子は雪だるま式に増えていく。それほどの大金ではないが、ただでさえ厳しい家計を破綻させるのには十分な金額だ。

ファイナンシャルアドバイザーなら、借金はまずい判断だったと言うだろう。だが、お金を借りたおかげで息子は運動する機会を得られたし、彼女自身も数日か数週間の貴重な猶予を手に入れた。いつか危機が来るかもしれないが、とりあえず今日ではない。

心理学者のエルダー・シャフィールとセンディル・ムッライナタンは、著書『いつも「時間がない」あなたに』(ハヤカワ文庫NF)の中で、この現象を「トンネリング(視野狭窄)」と呼んでいる。

人はたくさんの問題で右往左往しているとき、すべてを解決することをあきらめる。視野が狭まってしまう。長期的な計画を立てることも、戦略的に問題を優先順位づけすることもしなくなる。

だからこそトンネリングは、上流思考の3つ目の障害なのだ。トンネリングのせいで、目先優先の反射的思考にとらわれてしまう。トンネルの中にいると、前に進むことしかできなくなる。

カネや時間の「欠乏」が視野狭窄を生む

人が貧乏になるのは、愚かな判断を積み重ねたせいだとよく言われる。たしかにそういう場合もあるだろう(高給取りのスター選手が引退後に破産するなど)。

だがシャフィールとムッライナタンは、それは因果関係が逆だと指摘する。貧困のせいで、近視眼的な財政的決定を下しがちになるのだと。著書にこう書いている。
「欠乏を感じると洞察力が鈍り、先を見通せなくなり、制御が利かなくなる。その影響は甚大だ。たとえば、ひと晩徹夜するよりも、貧しい状態にあることの方が、認知能力に悪影響をおよぼす。貧しい人は個人としての処理能力が低いのではない。むしろ、貧しさを経験することで、どんな人も処理能力が衰えるのだ」

お金が乏しいときは、あらゆる問題がストレスの原因になる。お金をクッションとして使えないからだ。車をこまめに整備に出し、自費で歯科検診に行き、休みを取って病気の親の見舞いに行くといったことができなくなる。すると生活は綱渡りになる。

トンネリングを起こしている人は、システム全体を考えることができない。問題を防ぐことができず、起こった問題に対応するだけになる。

もっとも、トンネリングはお金がない人だけに起こるわけではない。時間がない人にも起こる。

「何かが欠乏しているとき、とくにトンネリングを起こしているときには、重要だが緊急ではない用事、たとえばオフィスを掃除する、大腸内視鏡検査を受ける、遺言書を作成するといった用事は先延ばしにされてしまう」と、シャフィールとムッライナタンは書いている。「こういった用事を行うコストはいますぐかかり、重くのしかかり、しかも簡単に先送りにできる。一方でそれをすることで得られる利益はトンネルの外にあって見えない。

だから緊急の用事がすべて片づくときを待ってしまう」

だがもちろん、緊急の用事がすっかり片づくなんてことはけっしてない。そして気づいたときには遺言書を作成しないまま70歳になっている。

感動的なようで絶望的な話

組織もトンネリングの罠に陥ることがある。工業技術者で、ゼネラルミルズの冷凍工場の業務を補助した経験があるアニータ・タッカーは、ハーバード大学で博士論文を書くために、8つの病院の22人の看護師を対象に、のべ約200時間の密着調査を行った。

看護師は問題解決のプロだ。平均すると約90分ごとに予期しない問題が起こっていた。たとえば、病院の洗濯係の数人が休みを取っていた3連休の翌日、ある看護師は自分の病棟のタオルが不足していることに気がついた。その看護師は、ひとまず隣の病棟から何枚か失敬して、それから事務係に、「洗濯室に電話をかけてもっとタオルを持ってきてもらうように」と指示をすることで対処した。

タッカーの調べでは、看護師が出くわす問題で最もよくあるのが、情報の不足や誤りへの対応と、器具の不足や故障への対応だった。

ある事例では、アビーという看護師が出産後の母子の退院準備をしていたところ、赤ちゃんにセキュリティタグがついていないことに気がついた。足首につけられるタグは、1個約100ドルと高価で、誘拐のリスクを減らす重要なものだ。

急いで探すと、タグはベビーベッドの上に落ちていた。3時間後、同じことが起こった。退院を控えた別の赤ちゃんもタグをつけていなかった。数人がかりで探したが見つからなかったため、アビーは紛失を上司に報告した。アビーの迅速な対応のおかげで、どちらの母親もそれほど遅れずに退院できた。

この種の問題を解決するには、柔軟な発想と粘り強さ、工夫が求められる。問題が発生するたびに上司のところに走っていくわけにはいかない。だから患者のケアに支障が出ないよう、自力で問題に対処していた。それがよい看護師の条件なのだ。

感動的な物語だろう? だが、あることに気がつくと、そうではないことがわかる。タッカーが紹介したのは「**けっして学習しないシステム**」、改善されることのないシステムの例なのだ。

「正直言って、とてもショックでした」とタッカーは言う。なぜならそこには上流活動のかけらもなかったからだ。

セキュリティタグが3時間のうちに2つも外れていたことに気づいたアビーは、「なぜこんなことが何度も起こるのだろう」とは考えなかった。タオルを失敬した看護師は、「これはプロセスの問題だ、連休明けの日の対策を立てなくては」とは考えなかった。

看護師たちはトンネリングを起こしていた。時間にも注意力にも余裕がなかった。別の病棟のタオルを失敬すること——数時間後にはその病棟のタオルも不足する——は、消費者金融からお金を借りるのと変わらない。いつかツケを払うときが来るが、とりあえずいまではない。それまでの間、看護師はがむしゃらに前に進み続ける。

「急場しのぎ」で充実してしまう

この物語を紹介したのは、看護師をけなすためかって？　とんでもない。たとえアニータ・タッカーが、弁護士や客室乗務員、教師などの職業集団を調査したとしても、同じような結果が出ただろう。

それに看護師がトンネルを避けるなんて、とても不自然だ。新生児のセキュリティタグが外れやすいことに気づいた看護師は、上司に報告する。それ以外に何ができるというのか？　いまこのとき面倒を見なくてはならない患者が何十人もいるのに、その場で根本原因を分析しろとでも？　だいいち、ほかの病棟からタオルを2、3枚持ってくればすむ話なのに、「仕事のプロセスを変える」だの何だの言っていたら、同僚に何と思われるだろう？　トンネルにこもって掘り進み続ける方がずっと簡単だし、自然なのだ。

これは恐ろしい罠だ。問題を根本的に解決しない限り、事後対応の悪循環から抜け出せない。トンネリングがトンネリングを生む。

トンネリングのたちが悪いのは、際限なく繰り返されるからというだけではない。**トンネリングには達成感があるのだ。**

大失敗を土壇場で防いだ人は賞賛される。こういう状況を称える常套句はいろいろある。「火消しをしてくれた（窮地から／急場から／災難から救ってくれた）スティーヴに大きな拍手を！　スティーヴの働きがなければ、在庫切れの報告は1日遅れていただろう」等々。

土壇場で危機を救うのはとても気分がいいから、救済行動はやみつきになる。「徹夜して重要な締め切りに間に合わせる」的な、火事場の綱渡りを楽しむ人たちがどこの会社にもいる。もちろん本当に急場をしのがなくてはならないこともあるが、こういう行為が繰り返されるときは気をつけた方がいい。英雄的な救済が必要になるのはたいていの場合、システムに障害が起こっている証拠なのだ。

戦略的に「ゆとり」をつくる

トンネルから脱するにはどうしたらいいのか？「ゆとり」が必要だ。ここで言うゆとりとは、問題を解決するための時間的、金銭的な余裕のことだ。

たとえば、毎朝「安全集会」を開くことで、ゆとりをつくっている病院がある。スタッフが集まって、患者をケガさせそうになった、失敗しそうになったといった、前日の安全上の「ニアミス」経験を発表し合う。こういう集まりがあれば、看護師が「赤ちゃんのセキュリティタグが外れることが多いんです！」と報告する絶好の場になっていただろう。

安全集会は、のんびりする時間という意味でのゆとりではない。トンネルの外に出て、システム全体に関わる問題を考えるために確保された、まとまった時間である。

上流活動を促すために設けられた場、いわば「構造的なゆとり」のように考えるとわかりやすい。協力的な規律正しい場だ。

シカゴ学区の中退率を下げるための取り組みでも、ゆとりが用いられた。新入生成功チームは立ち会議を行って、一人ひとりの生徒の学習状況を確認していた。**こうした場は「自然発生的」には生まれない**。ただでさえ多忙な教師の予定から時間を捻出するのは、並大抵のことではない。

トンネルからの脱出がなぜ難しいかと言えば、組織がそれに抵抗するようにできているからだ。エクスペディアのCEO、マーク・オカストロムの言葉を思い出そう。「組織というものは、そこで働く人たちに何をすべきかを示すためにあるのです。要は、『目の前にある問題だけに集中すればいい』という許可を与えているのですよ」

集中は味方にもなれば、敵にもなる。仕事を加速させ、効率を高めるが、遮眼帯（ブリンカー）の役目も果たす（競走馬に遮眼帯をつけるのは、気が散るものが目に入らないようにして速く走らせるためだ)。「前へ、前へ、前へ」ばかりをめざしていると、立ち止まって正しい方向に進んでいるかどうかを考えることもしなくなる。

人は「目の前のこと」に反応してしまう

人間の脳はある意味でトンネリングを起こすようにできている。ハーバード大学の心理学者ダニエル・ギルバートは、差し迫った喫緊の問題に集中するのは、思考のデフォルト機能だという。ロサンゼルス・タイムズ紙への寄稿にこう書いている。

どんな動物もそうだが、人間はいまそこにある明白な危機にすばやく反応する。野球場から飛んできたボールがぐんぐん近づいてくるのが見えたら、ほんの数ミリ秒で首をすくめることができる。脳はいますぐ避けるべきものを探して環境を常時見張っている、精密な「障害物回避」マシンだ。人間の脳は数億年にわたってそれをやり続けてきた。そしてほんの数百万年前に、哺乳類の脳は新しいワザを覚えた。危険がいつどこで起こるかを事前に察知する能力だ。

まだ起こっていない危機をかわそうとする能力は、脳が開発したなかでもとくに革新的な技術だ。この能力がなければ、デンタルフロスや企業年金制度といったものは発明されなかった。だがこの新技術は、まだ開発の初期段階にある。目に見える野球ボールに反応する「アプリ」は、年季が入って信頼性が高いが、まだ見ぬ未来に潜む脅威に反応する追加機能は、まだ試験運転中である。

つまり上流思考はギルバートに言わせれば、人間の脳の新機能ということになる。人間が上流本能を必ず発動させる重要な問題は、2つしかないように思われる。「わが子」と「歯」だ。わが子のことになると、何年も先の影響まで心配する。画面を長時間見過ぎていないだろうか？　健康によい食事をしているだろうか？　よい大学に入れるだろうか？

さらに不思議なのが、体の中で最もいたわられている器官、歯に払われる注意だ。肌を守るための日焼け止めや、心臓の健康を守るためのジョギングや、免疫系を守るための毎年のインフルエンザの予防接種はさぼっても、虫歯予防のための1日2回の歯磨きはどんなに忙しくても欠かさない。さらにしっかり見てもらうために歯科の定期検診まで受ける。いまは不快な症状がないのに、歯に冠をかぶせたり詰め物をしたりもする。

次の事実をちょっと考えてほしい。**人間が開発した予防習慣で最も成功しているものは、肺でもなく、心臓でもなく、歯を守るための習慣**なのだ。

人間はいつか、歯への気遣いの半分でいいから、地球にも慈しみと思いやりを持てるようになるだろうか？　国際的な地球温暖化対策の失敗を見る限り、その望みは薄そうだ。鍋でゆっくりとゆでられていることに気づかないまま死んでしまうというたとえ話のゆでガエルを人間は笑いものにしてきたが、まさに自分たちこそがゆでガエルだったわけだ。

「巧妙に設計された罠」のような問題

地球温暖化は、まるで悪の首謀者によって、人間心理のあらゆる弱みにつけ込むために設計された現象のようだ。変化があまりにもゆっくりしているから、切迫感がない。それに敵の姿も見えにくい。ダン・ギルバートは先の論説にこう書いている。「もしも地球温暖化が、残虐な独裁者や邪悪な帝国によって人間に与えられた災厄だったなら、温暖化対策はアメリカの最優先事項になっていただろう」

地球温暖化に対処するには、縄張り意識を捨て、国や党派、組織を超えて力を合わせなくてはならない。さらに問題を難しくしているのは、地球温暖化は行動と結果の主体が一致しないということだ。つまり害のほとんどをおよぼしている人たちは、害に最も苦しむことになる人たちではない。

そう聞くと救いがないように思えるが、希望の持てる例が1つある。人間は最近になって、いま挙げた特徴がすべて当てはまる地球規模の環境問題に、協力して対処することに成功したのだ。

その問題とは、オゾン層の破壊である。1974年に科学者のマリオ・モリーナとF・シャーウッド（シェリー）・ローランドが、「クロロフルオロメタンの成層圏における消滅：塩素原子を触媒とするオゾンの分解」と題した論文を、ネイチャー誌に発表した。世にも不吉な発見を報告する論文にしては、地味きわまりない題名だ。

2人の科学者はクロロフルオロカーボン類（フロン類）という、エアコンの冷媒や制汗スプレーなどのさまざまな用途に使われていた化合物について、ある発見をした。

不燃性で無毒のフロンは、夢のような化学物質と呼ばれていた。また安定性が非常に高いため、大気中に長く残留した。フロンが冷蔵庫や脇の下を出たあとどこへ行くかなど、人々は気にもとめていなかった。

モリーナとローランドが明らかにしたのは、大気中に放出されたフロンが成層圏に達すると、太陽光で分解されて塩素原子を放出し、それが太陽からの有害な紫外線を吸収し地球の生態系を防護する大切な役割を果たしているオゾン層を破壊するということだ。オゾン層の破壊が進めば世界の食糧供給が脅かされ、皮膚がんが多発するおそれがあるという。

この衝撃的な発見を受けて何が起こっただろう？

ほとんど何も起こらなかった。

「まったく騒がれませんでしたね。目に見えないガスが、目に見えない光線から生態系を守っている目に見えない層に届く、という話でしたから」と、モリーナはPBSの優れたドキュメンタリー番組『オゾンホール：地球はどのようにして救われたか』のなかで語っている。「オーバーなんじゃないですか、と言われました」

オーバーではなかった。だがさいわい世界は滅ばなかった。国際協力の下で、フロン排出抑制のための一連の協定が結ばれたのだ。

ある気候科学者が「ブレーキをそっと踏んだよう」と称した1987年のモントリオール議定書に始まり、急ブレーキにもたとえられる1992年のコペンハーゲン改正に至るまで、協定が次々と（それ以降もいくつかの修正事項が）締結された。

おかげで、人間は問題の悪化に歯止めをかけることができた。もちろん、オゾン層は少しも「修復」されてはいない。オゾンの状態が1980年のレベルに戻るのは、いまの傾向がこのまま続いたとしても、2050年ごろでしかない。だが人間が墓穴を掘るのをやめ、シャベルを置こうとしたのは祝福すべきことだ。

トンネリングを逆に利用する

予防活動につきものの難題がある。それは、しばらく起こらないかもしれない問題に、喫緊の危機意識を持ってもらわなくてはならないということ。つまり、上流を下流のように感じさせなくてはならないということだ。

モリーナとローランドが論文を発表した1974年当時の状況を振り返ってみよう。オゾン層破壊対策を火急の課題だと考える人は、世界全体でも数十人しかいなかった。当時の世界の「オゾン層修復にかける意気込みの強さ」をヒートマップで表せば、モリーナとローランドの所属する大学の学部が真っ赤で、それ以外の地域は無関心を表す青になる。だが10年後、赤は野火のように広がり、国際協定がいまにも結ばれようとしていた。どうしてそうなったのだろう？

ここでまず気がついてほしいのだが、「危機意識を高める」とは、**トンネリングの力をよい方向に向ける**ということだ。トンネルから抜けようとする（ゆとりを設けるなどして）のではなく、むしろトンネリングによる極端なまでの集中を利用する。

仕事で締め切りが近づけば、生産性もやる気も最大限に高まるだろう？　締め切りが危機意識を人為的に高めるのだ。

たとえばアメリカの確定申告の期限、4月15日を考えてみよう。これは何の意味もない恣意的な日付だが、アメリカ人の行動に大きな影響を与えている。約2150万人ものアメリカ人が、期限前の最後の週に確定申告を提出するのだ。期限が間近に迫ると、ついにはほかのすべてをなげうってでも間に合わせようとする。*

トンネルから出るわけではない。むしろ、国民が確定申告を確実にやり遂げるように、政府が申告作業をトンネルの中に押し込んでいると言った方が近い。

誰もが自分の興味のある問題を「トンネルの中」に入れたがるが、トンネル内は混雑している。ほかの差し迫った、感情的な懸案事項との競争が待っている。子どもをサッカーの練習に送っていく、上司のためにデータを分析する、老人ホームに祖母を訪ねる、等々。これらは自分で片づけなければいつまで経っても片づかない問題だ。これに対しオゾン層の問題は、大事なような気はするが、日々の心配事ではない。トンネルの「外」にある。この無関心を打破するために、シェリー・ローランドをはじめとする科学者たちは、科学者の慣習や常識に逆らってまでも、人々に行動を起こすよう声高に呼びかけた。この発見を敵視する人々に対しても、オゾン層の破壊が人間におよぼす悪影響を根気強く説明した。

「見える化」させて危機意識を高める

科学者たちの働きかけの甲斐あって、意外な場所に支持者が現れ始めた。1975年に

＊　もし確定申告に期限がなくなり、前年度の申告をいつやってもいいが、提出が1月からひと月遅れるごとに（クレジットカードの支払いを翌月に持ち越すときのように）支払額に2％の利子が加算されていくとしたらどうだろう？おそらく連邦政府は大もうけをするだろう——支払額がどんどん増え、全国民のお金がなくなるまで。

テレビの人気コメディ番組「オール・イン・ザ・ファミリー」が、こんなエピソードを放映した。

リベラルな大学生のマイクが、フロンガス入りのヘアスプレーを使う妻のグロリアを叱って、この化学物質はオゾン層を破壊して「人類を絶滅させてしまうぞ」と言うのだ。放映後、エアゾールスプレーの売上は激減した。

危機意識を高める役割を果たしたもうひとつの要素が、「オゾンホール」という言葉だ。この用語はいまでこそよく聞かれるが、広く使われるようになったのはネイチャー論文から10年後の1980年代のことだ。不正確だと言って反発する科学者もいたが、たちまち世間に受け入れられた。

研究者のリチャード・ストラウスキーは、「この状況を簡単に説明できるキーワードができたおかげで、多くの人に問題を知らしめることができました」と、ポッドキャストで語っている。

オゾン層の「穴（ホール）」という概念によって問題を見える化し、行動意識を高めることができた。屋根やボート、セーターなどの大事なものに穴が開いたら、すぐに直そうとするだろう。オゾン層の緩慢な破壊は喫緊の問題でなくても、オゾン層に穴が開いたとなれば火急の問題になる。

この運動には、別の側面もあった。国際協調に反対しそうな組織への対応である。フロンガス製造最大手のデュポンをはじめ、多くの企業が規制の導入に長年反対していた。だがモントリオール議定書締結のころになると、デュポンは支持に転じていた。この問題でデュポンが果たした役割を、のちに2人の研究者が考察している。

「デュポンが議定書を支持するかどうかは、アメリカの当局が、ヨーロッパのフロンガス製造会社が国際協定で有利にならないように取り計らえるかどうかにもかかっていた」

つまり、アメリカ企業だけが規制を受けたのであれば、デュポンはおそらく議定書に反対していただろうということだ。だが世界の全競合企業が規制を受けるのであれば、デュポンの不利にはならない。

反対派にはほかに開発途上国のリーダーもいた。自分たちのせいではない問題に対して高いツケを払わされることに反発していた。そこで当時のイギリス首相マーガレット・サッチャーが音頭を取って、必要な資金のほとんどを先進国が負担するよう話をまとめた（「鉄の女」と呼ばれたサッチャーがオゾン層対策の旗手だったと聞くと意外な気もするが、その経歴にヒントがある。サッチャーは大学で化学を専攻し、短期間だが研究化学者として働いていた）。

こうした譲歩が行われるまでは、デュポンや開発途上国にとって、オゾン層保護の国際協調は脅威だった。「脅威」には言うまでもなく緊急性がある。つまり国際協調の交渉担当者がやっていたのは、世界全体の危機意識を調整する仕事だった。支持者の危機意識を高める一方で、反対者の危機意識を弱める必要があった。

「回避できた世界」を想像する

こういった物語は、あとから見れば成功すべくして成功したように思われることが多い——オゾン層破壊を防ぐ取り組みが行われたのは当然だ、その必要があったのだから！

だが努力が吹き飛ばされる可能性はいくらでもあった。

1つだけ例を挙げると、モントリオール議定書が署名されるほんの数か月前の1987年5月、レーガン政権で内務長官を務めていたドナルド・ホーデルが政府内で議定書案について話し合っているとき、こんな暴言を吐いたと言われている。**フロンガスを禁止しなくても、帽子や日焼け止め、サングラスで身を守ればいいじゃないか**、と。

この発言はメディアの集中砲火を浴びた（ツイッターがあればこの発言に反応できたのに）。ホーデルは発言を撤回し、レーガン政権はその後も協定の取りまとめ役に徹した。

レーガン大統領は最初は半信半疑だったが、やがてこの取り組みを強く支持するようになった。ジョージ・シュルツ国務長官はPBSのドキュメンタリーで、レーガンの姿勢をこう言い表している。たしかに何も起こらないかもしれないが、もしも実際に起こったら大惨事になることは認めよう。だから、保険をかけようじゃないか、と。

気候学者は、オゾン層保護の取り決めによって避けられた諸問題を説明するとき、「**回避できた世界**」という言い方をする。

「回避できた世界についてじっくり考えるのはよいことだと思います」と、アメリカ海洋大気庁（NOAA）のショーン・デイヴィス研究員はTEDxトークで語った。「モントリオール議定書の発効によって回避できた世界は、環境や人間の健康状態に破滅的な変化が起こる世界なのです。2030年までに、年間数百万人の新たな皮膚がん患者の発生が抑えられ、その数はますます増えるでしょう」

「回避できた世界」とは示唆に富む言い回しだ。何らかの害や不公平、病気、困難がはびこる世界を回避することは、いろいろな意味であらゆる上流活動の目標だ。

回避すべき世界を回避するには、ここまで見てきた障害を乗り越えなくてはならない。問題盲（問題が見えない／仕方がない）、当事者意識の欠如（それを解決するのは自分じゃない）、トンネリング（いまは対処できない）。

SECTION2では、「回避できた世界」と闘ってきたリーダーたちを紹介しよう。彼らが回避しようとしている問題は、家庭内暴力からエレベーターの故障、外来種の侵入、歩道の亀裂、顧客の喪失、学校銃撃事件まで幅広い。

だが取り組む問題は違っても、採用した戦略には重要な共通点がある。どのリーダーも独自のやり方で、次の7つの重要な問いに答えなくてはならなかった。

・しかるべき人たちをまとめるにはどうしたらよいか？
・システムを変えるにはどうしたらよいか？
・テコの支点はどこにあるのか？
・問題の早期警報を得るにはどうしたらよいか？
・成否を正しく測るにはどうしたらよいか？
・意図しない害をおよぼさないためにはどうしたらよいか？
・誰が「起こっていないこと」のためにお金を払うのか？

次章では10代の薬物乱用をほぼ根絶するという、とてつもないことを成し遂げた国を見ていこう。しらふで楽しくやっている10代たちの世界なんておとぎ話だと思うなら、ページをめくってほしい。

SECTION 2

「上流リーダー」になれる7つの質問

- 「しかるべき人たち」をまとめるには？
- 「システム」を変えるには？
- 「テコの支点」はどこにある？
- 問題の「早期警報」を得るには？
- 「成否」を正しく測るには？
- 「害」をおよぼさないためには？
- 誰が「起こっていないこと」のためにお金を払うか？

CHAPTER

5

「しかるべき人たち」をまとめるには？

――多様なメンバーで問題を「包囲」する

1997年にアイスランドの首都レイキャヴィクの繁華街で、1枚の写真が撮影された。のちに国家的問題の象徴として知られるようになる写真だ。

街角に人々がひしめいている。金髪の頭がほとんどで、黒髪も少々。夏のアイスランドは太陽がほとんど沈まず、夜は数時間しかない。この写真も午前3時に撮られたのに一人ひとりの顔がはっきり見え、ほぼ全員が酔っ払ったティーンエイジャーだとわかる。ティーンが町を占領している。

1998年に行われた調査で、アイスランドの15歳と16歳の42%が、「過去30日間に飲酒したことがある」と答えた。日常的に喫煙する人は約4人に1人、すでに大麻の使用経験がある人は17％に上った。

医師で、2014年にレイキャヴィク市長になったダグール・エッケルトソンも、「裏通りで吐いた友人を介抱したことがあります」と言っている。「海に落ちた友人もいました。港で給油管の上を歩いていてバランスを崩したんです。……そんな話はどこにでも転がっていました。14歳の夏休みに働いて初めてお金をもらうといったことの1つ、大人になるための通過儀礼のようなものでした」

だがこうした行動は、ただの若者の馬鹿騒ぎというだけではすまなかった。アイスランドの10年生〔日本の高校1年生に相当〕は、飲酒によるケガや事故を起こす確率がヨーロッパ22か国中2番目に高かった。

ほかの気がかりな項目、たとえば13歳以下で飲酒経験のある人の割合や、過去1年間で10回以上飲酒した人の割合などでも、アイスランドは上位を占めた。

アイスランドの若者にとっては、そのすべてがあたりまえのことだった。それが彼らの知る世界だった。

だが1990年代に薬物乱用率がじわじわ上がっていくなかで、あるリーダーの集団が懸念を深めていた。

「多分野」の関係者を組織する

彼らは問題盲から目覚めた。ティーンの問題行動を「あたりまえ」だとか「仕方がない」などと片づけるのをやめた。上流に向かおうと決意したのだ。では、次に何をしたのだろう？

上流介入を成功させるためには、「7つの重要な問い」に答えなくてはならない。SECTION2ではそれぞれの問いに章を1つずつ割り当て、なぜその問いに答えるのが難しいのか、障害を乗り越えるためにリーダーたちがどんな戦略を取ってきたのかを説明しよう。

7つの問いの1つ目は、「**しかるべき人たちをどうやってまとめるか？**」である。

上流活動の多くが、自分から買って出る仕事だと、前に説明した。誰に押しつけられたのでもなく、自分で選び取る仕事だ。

アイスランドの場合もそうだった。10代の薬物乱用の影響に対処する集団や政府機関はたくさんあったが、薬物の乱用を防止しようとする人や組織は（少なくとも当初は）皆無だった。

しかしこの問題に胸を痛め、防止したいと思っている人は大勢いた。そんなわけで、多くの上流活動と同様、この取り組みの第一歩は「問題を包囲する」こと、つまり共通の目的の下に結ばれた多分野の人々や組織の集団をまとめることだった。

1997年、学術研究者や政治家などの数人が、「薬物のない（ドラッグフリー）アイスランド」と称する薬物乱用防止キャンペーンを開始した。そして手を貸してくれようとする人たちに積極的に助けを求めた。研究者、議員、学校、警察、親、若者、歌手やミュージシャン、NGO（非政府組織）、政府機関、全国の地方自治体、民間企業、教会、医療機関、スポーツクラブ、スポーツ選手、メディア、国営酒タバコ専売会社などが集まった。

一見まとまりのない集団だが、アイスランドは国民の大半がレイキャヴィク周辺に住み、首都圏の人口は25万人にも満たず、国土の面積はケンタッキー州とほぼ同じだ（ケンタッキーとの重要な違いは、活火山と巨大な氷河があってビョークがいること）。つまり、アイスランドでは多様な分野の数百人のリーダーが、わりあい早くつながることができた。

「危険因子」を減らし「防御因子」を増やす

彼らを引きつけたのは、薬物・アルコール乱用を撲滅するための斬新な構想だった。従来の取り組みは個人の行動変容を促すことに力を入れ、酒や薬物をやめるようティーンに呼びかけていた。だがこのキャンペーンのリーダーは、従来型の「ダメ、ゼッタイ」式のアプローチは全体像を視野に入れていないと考えた。

そもそも薬物を勧める人が周りにいなかったらどうだろう？　ティーンがサッカーや演劇、ハイキングなどの活動に打ち込み、酒を飲みたいなどと思わなかったら？　つまり、薬物や酒に手を出すことがあたりまえではなく、おかしいと感じられる環境になったらどうだろう？

「子どもの行動を変えるには、周りの環境を変える必要があると考えました」と、キャンペーンの中心的なリーダーで社会科学者のインガ・ドーラ・シグフスドッティルは言う。

若者がどんな「危険因子」をきっかけにして薬物乱用に陥るかが、学術研究によって明らかになっている。

酒やタバコをやる友人は、わかりやすい危険因子だ。もうひとつは、そうした友人とつるむ自由な時間がたっぷりあること。パーティに出たり、午前3時に繁華街にたむろしたりする時間だ。

その一方で、薬物乱用のリスクを下げる「防御因子」も解明されている。防御因子のほとんどは、「ティーンに充実した時間を過ごさせる」ことに尽きる。スポーツや課外活動に参加させたり、ただ親と過ごす時間を増やすのもいい（ちなみに、親と過ごす時間は「質より量」だという研究がある。シグフスドッティルによると、この発見は親たちに諸手を挙げて歓迎されたわけではなかったらしい）。

要するに、若者の自由になる時間は限られているから、**お行儀よく過ごす時間が増えれ**

ば、お行儀が悪い時間が必然的に減るということだ。

これを踏まえて、キャンペーンでは単純な基本方針を打ち出した。薬物乱用の危険因子を減らし、防御因子を増やすことによって、ティーンを取り巻く環境や風潮を変えようというのだ。

キャンペーンに参加した親たちや政治家、スポーツクラブなどは、それぞれ駆使する手段こそ違うが、こうした要因に働きかけることができる立場にあるという点で一致していた。

「科学」で対応する

地域社会や親たちは協力して地域の催しのあり方を変えようとした。ティーンだけで参加するのがあたりまえだったが、家族での参加を呼びかけた。また飲酒の害を知らせるテレビCMの制作と撮影にティーンを起用した。

ほとんどの活動が、多くの関係者の協力がなくては成り立たなかった。一例として、アイスランドでは昔から、子どもが外出できる時間帯が年齢によって決められていた。この「外出時間」の規則は、違反しても法的罰則がない、ゆるい外出禁止令のようなものにすぎず、規則を破る人があとを絶たなかった。あの衝撃的な写真に写っていた、レイキャヴイク市内でたむろする子どもたちは全員規則を破っていた。

平気で規則を破る風潮を変えようと、キャンペーンではレイキャヴィク市長と警察署長からの手紙をティーンの親全員に送って、外出時間を守るよう呼びかけた。また若者が外出できる時間帯が印刷された冷蔵庫のマグネットを手紙に同封した。

シグフスドッティルによると、以前は外出時間を子どもに守らせるかどうかは親任せだったため、規則を守ろうとする数少ない親は子どもに恨まれたという。「外出禁止を気にしてる親なんかいないよ！」とティーンは反発した。

だが時間帯が印刷されたマグネットを受け取ると、**外出禁止の「公式感」が増し、守る人が大幅に増えた**（一部の地域では、親が手分けして夜間の見回りを行い、出歩いている若者に帰宅を促した）。

このキャンペーンがとくに画期的なのは、アメリカの臨床心理学者ハーヴェイ・ミルクマンの依存症研究を取り入れた点にある。

「人は薬物そのもののとりこになるというよりは、脳の化学的な状態の変化に快感を覚えるのではないかと気づいたんです」と、ミルクマンは説明する。「だから薬物をやめさせるには、『自然な興奮状態（ナチュラルハイ）』を体験させればいいと考えました」

つまり、「ハイになりたい」という若者の本能に逆らうのではなく、安全にハイになれる方法を提供することにしたのだ。

充実した時間を過ごす方法を子どもたちに与える必要は、キャンペーンのリーダーたちもすでに認識していた。それが防御因子だということはよく知られていた。

だがミルクマンの発見を取り入れてからは、この方針を少々変更した。ティーンに必要な活動は、何でもよいわけではなく、ナチュラルハイが得られる活動だった。試合やパフォーマンス、トレーニング、発表といった、心身の鍛錬になる活動だ。

アイスランドの子どもたちは放課後よく、サッカーからゴルフ、体操までのさまざまなスポーツができる、「スポーツクラブ」と呼ばれる施設に行く。

そこで、多くの地域が、スポーツクラブの指導力を高めるための投資を行った。親が無償でやっていたサッカーコーチの代わりに、経験豊富なベテランを有給で雇った。こうしたスポーツの「専門化」が大きな役割を果たした。

アイスランドのチームの薬物乱用防止活動では、スポーツへの公式と非公式の参加を区別し、前者に力を入れた。いつもの仲間と近所でバスケットボールをしても、飲酒する確率は変わらない（か、下手をするとかえって高まる）。だがバスケットボールのリーグに参加するとなれば、話は別だ。参加を決意し、チームの一員になり、健康的な活動を中心としたつきあいの輪に入る。

レイキャヴィクなどの都市は、スポーツクラブやその他の余暇活動への参加を促すために、会費やレッスン代に使える数百ドル相当のギフトカードを全世帯に支給した。

「上流のミーティング」を行う

こうした取り組みのすべてが効果を生んだ。アイスランドの10代の飲酒・薬物使用の実態を調べるために、「アイスランドの青少年」調査が実施された。調査では、キャンペーンが力を入れていた危険因子と防御因子（親と過ごす時間など）についても調べた。この調査が、キャンペーンの成績表のようなものになった。

チームは調査結果を分析し、さまざまな活動の計画を立てるためにミーティングを行った。どんなときもミーティングを行った。

医師が処方箋を書き、鉱山労働者が地面を掘り、教師が生徒を教えるように、上流の活動家はミーティングを行う。キャンペーンの実行委員会だけをとってみても、**立ち上げからの5年間で101回もミーティングを行った。**

といっても、仕事でありがちな、退屈きわまりない居眠り大会ではない。「上流のミーティング」は、活気のあるものになりやすい。創造性や率直な意見、自由な発想が促され、意義ある目的に向かってともに歩もうという仲間意識が生まれるのだ。

最初の数年間で早くも成果が見られた。

公式のスポーツ活動の参加率が上がった。親と過ごす時間が増えた。外出時間の遵守率

◎「アイスランドの青少年」調査より

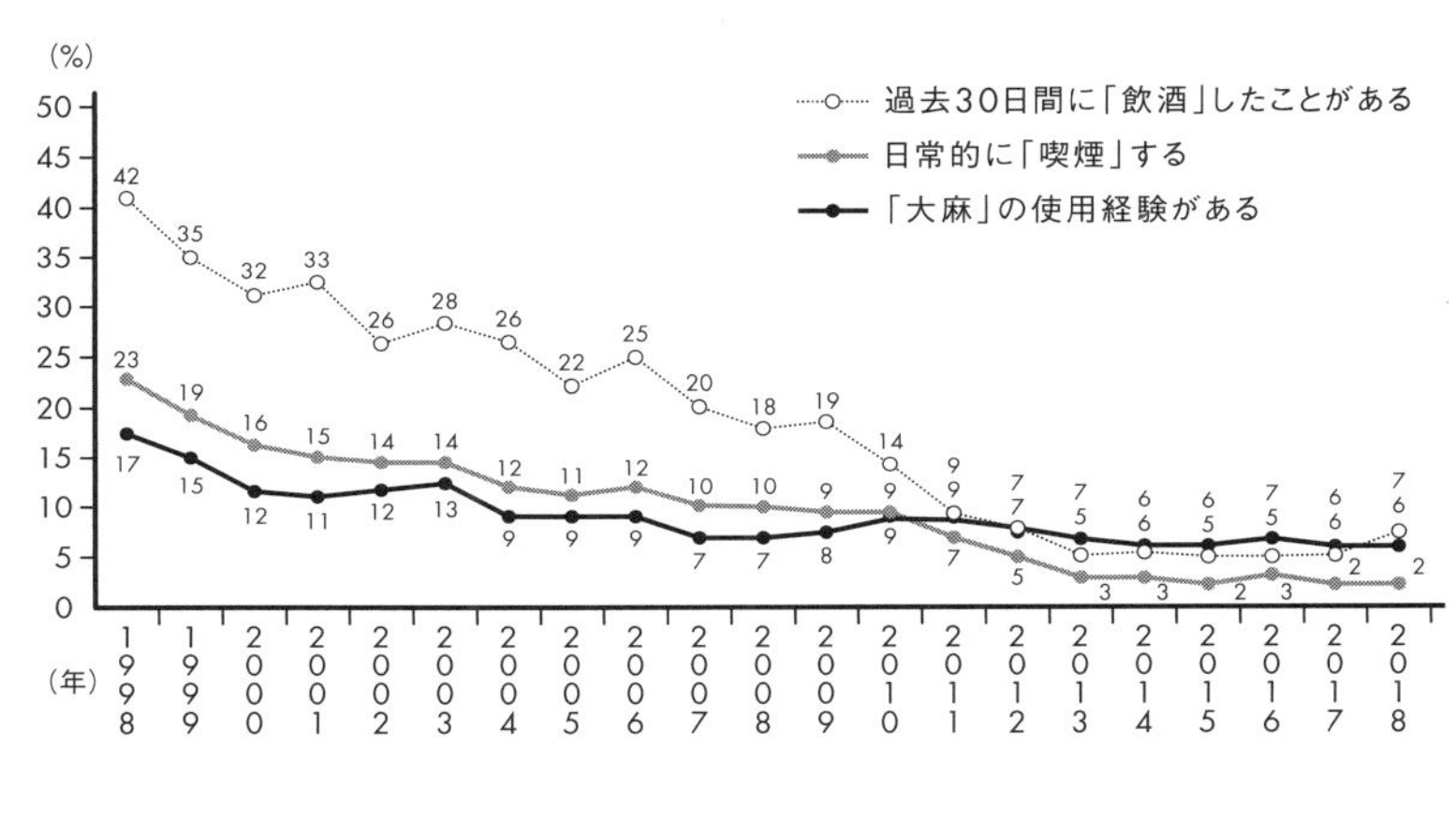

が高まった。こうして成功体験がどんどん積み重なっていった。

成功したという快感は活動への意欲を高め、新しい協力者を使命に引きつける。キャンペーン開始20年後の2018年になると、ティーンの生活はすっかり変わっていた。

わかりやすくするために高校の40人学級にたとえると、過去30日間に飲酒をしたことがある生徒は、1998年には40人中17人だったが、2018年にはたった3人だった。日常的に喫煙する生徒は9人から1人に、大麻の使用経験がある生徒は7人から2人に減った。上のグラフの右肩下がりの曲線がすべてを物語っている。

アイスランドの物語の最も特筆すべき点は、あまりにも全面的な成功を収めたために、変化が目にも止まらなかったということだろう。今日のティーンのほとんどは変化に気づいていない。薬物乱用がほとんどない世界で育ってきたのだから。

アイスランドのキャンペーンは世界の羨望を集め、スペインやチリ、エストニア、ルーマニアなどの都市の活動家がその手法をすばやく取り入れた。

「この方式の柱は、一人ひとりの持てる力を引き出すという方針です」とシグフスドッティルは言う。「社会と親、子どもに、力を発揮する場を与えるのです。関係者一人ひとりが、何らかの役割を与えられる。そのことがキャンペーンの原動力になっているんだと思います」

「中核チーム」を選び抜く

しかるべき人たちをまとめるにはどうしたらいいのか？

「一人ひとりに役割を与える」という、シグフスドッティルの気づきから考えてみよう。キャンペーンの発展が参加者の自主的な努力にかかっていることを考えると、多くの人を巻き込んだ方がよいのは確かだ。

とはいえ、ただ参加者を増やせばそれで十分というわけではない。中核チームは戦略的に選び抜く必要がある。何かを防止するための予防介入では、寄せ集めのチームをうまくまとめなくてはならない場合が多い。

上流活動を成功させるには「問題を包囲する」こと、つまり**すべての重要な側面に対応できる多様な人材を引きつけることがカギとなる。**

アイスランドのキャンペーンのリーダーは、若者だけでなく、親や教師、コーチなど、若者に影響力を持つほぼすべての人たちをキャンペーンに巻き込んだ。それぞれの関係者が、重要な貢献をする力を持っていた。

一方、下流活動の範囲はそれよりずっと狭い場合が多い。冒頭で紹介したエクスペディアの取り組みを思い出そう。ただ顧客の問い合わせに対応するだけなら、コールセンターの担当者1人ですんだ。だが、顧客がそもそも電話をかけずにすむようにするには、さまざまなチームの協力が欠かせなかった。

さて、問題を包囲できたら、次はこれらの関係者の活動をまとめていかなくてはならない。この際カギとなるのが、切実で有意義な目標だ。

たとえば次の物語のような、人々の命がかかっている困難な状況にあっても関係者の貢献意欲をかき立て続ける、共通の目標が必要なのだ。

「なぜ、こんなやり方なのか」を考える

ケリー・ダンは大学を卒業してまもない1997年に、ボストンから車で北へ約1時間

ほどの、マサチューセッツ州ニューベリーポートという趣のある町に引っ越した。

それからほどなくして、彼女はボランティア募集のチラシを見て応募した。接近禁止命令を申請した被害者を法廷で補助する仕事だ。研修を終え、月曜から地方裁判所で正式なボランティアとして働き始めることになった。週明けで大した仕事はないだろうと思い、本でも読もうと持っていった。

ところが裁判所にはすでに3人の女性が相談しようと待ちかまえていた。1人は週末中ずっと地下室に監禁されていた。もう1人は腕にあざがあった。夫に殴られている間、子どもがあざができるほど強くしがみついてきたのだ。

「もう愕然としました」と、ダンは言う。このニューイングランドの小さな田舎町で、週末にそんな恐ろしいことが起こっていたなんて。ダンは家庭内暴力（DV）の被害者を支援するボランティアの仕事に打ち込み、まもなく正式な職員として働き始めた。この組織は現在ジニー・ガイガー危機センターと呼ばれている。

その5年後、ダンが担当していたドロシー・ギンタ＝コッターという女性が、別居中の夫に殺された。

ニューヨーカー誌によれば、夫に長年虐待されていたドロシーは、娘たちの安全を守りながら夫と縁を切ろうと苦心していた。夫は玄関にいた娘を押しのけて家に入り、寝室のドアを蹴破ってドロシーを引きずり出した。そして駆けつけた警官の目の前でドロシーを銃で撃ち殺し、自分も自殺した。娘たち2人は孤児になった。

この事件をきっかけに、ダンは自分たちのやってきたことに疑問を抱くようになった。

「仕事を辞めてしまうか、いままでの方法を本気で考え直さなくてはならないと思いました。どうしていまのようなやり方をしているのか？　これは本当に人を助けるためにつくられたシステムなのか？」。ドロシーの殺害を知って、そんなことを考えたという。「事件のおかげで、システムに穴があることに気づいたんです」

このシステムは、さまざまな専門部署の寄せ集めでできていた。緊急通報に対応する警官、傷を手当てする医療関係者、事件を起訴する地方検事、刑期を終えて釈放された加害者を監視する保護観察官。

ドロシーのような被害者は、そうした任務の隙間にこぼれ落ちていた。いろいろな任務を担う集団があったが、殺人の防止を使命とし、かつそのための手段を持つ集団は1つもなかった。殺人を防ぐには、関係者が一丸となって、とくに大きな危険にさらされた女性を集中的に守るしかないと、ダンは考えた。*

＊　以下の記事が、ドロシー・ギンタ＝コッターとジニー・ガイガー危機センターの物語をくわしく解説している。Rachel Louise Snyder, "A Raised Hand," *The New Yoker*, July 15, 2013. 僕がセンターの活動のことを知ったのも、この感動的で的を射た記事がきっかけだった。

一つひとつ詳細に調べ上げる

しかし、殺人事件の犠牲者になるリスクが高い女性をどうやって事前に特定するのか？ダンはこの難題に取り組んでいるとき、ジョンズ・ホプキンス大学の看護師でＤＶ研究の第一人者のジャクリーヌ・キャンベルの研究を知った。

キャンベル自身、キャリアの初期にＤＶの蔓延を思い知らされていた。キャンベルは看護学の修士課程で学んでいたとき、地元のオハイオ州デイトンの警察と協力して、女性が（元）夫または（元）男友だちに殺された事件を一つひとつくわしく調べ上げた（女性の殺害事件では、犯人の50％がこの分類のいずれかに当てはまる）。

事件簿の多くに犯罪現場の写真が載っていたが、とくにキャンベルの記憶に深く刻み込まれた1枚がある。手錠でイスにつながれた女性が、銃で撃たれて死んでいる写真だ。

女性は夫にこめかみを撃たれていた。身の毛もよだつような光景だが、キャンベルが注意を引かれたのはその細部だった。女性は腕にギプスをはめていたのだ。事件簿によれば、女性は尺骨（しゃっこつ）という、前腕の2本の長い骨のうちの小指側の骨を骨折していた。

ふつうケガをするときは親指側の橈骨（とうこつ）か、橈骨と尺骨の両方を骨折することが多い。尺骨だけが折れるのは珍しく、身を守るためのケガであることを示していた。女性は硬いもので殴られそうになり、腕で身をかばって骨折していた。

だが、キャンベルが驚いたのは、ケガそれ自体ではなかった。どの事件簿にも生々しい暴行が記録されていた。彼女の目を引いたのはギプスだ。女性は医療機関に駆け込んでギプスを巻く処置を受けたのに、彼女を暴力から守ろうとする人や、守れる人が一人もいなかった。そのことに衝撃を受けたのだ。「虐待された女性の力にならなくてはと、そのとき強く心に誓いました」とキャンベルは語る。

そこでDVが殺人に発展した事件のパターンを調べ始めた。すると、**殺人を容易に予知できる危険因子があることがわかった**。加害者が銃を保持している、アルコール依存症であるなど。他方、もっとわかりづらい危険因子もあった。たとえば加害者が失業すると、被害者が殺害されるリスクが高まった。

こうしてデータから読み取ったパターンをもとに、キャンベルは「危険度評価ツール」を開発した。このツールによってパートナーによる殺害を正確に予測できることが、複数の研究によって確認されている。

最新版のツールでは、被害女性に過去1年に虐待を受けたおおよその日付をカレンダーに書き入れてもらい、加害者に関する20項目の「はい／いいえ」の2択の質問に答えてもらう。たとえばこんな質問だ。

あなたを虐待する人は……
・仕事に就いていますか?
・あなたの子どもに危害を加えると言って脅してきますか?
・あなたの日常生活のほとんど、またはすべてのことを決定していますか? たとえば、誰と友だちづきあいをしていいか、いつ家族に会いに行っていいか、いくらお金を使っていいか、いつ車を使っていいか、など。

関係者の「協力体制」をつくる

数年後、ガイガー危機センターの幹部になっていたケリー・ダンは気がついた。この危険度評価ツールを早期警報システムとして使っていれば、ドロシーの殺害を防げたかもしれない、と。**もしドロシーが質問票に答えていたら、20点中18点の結果が出ていただろう。**この得点は「非常に危険」な状態に当たる。

危険度評価ツールはDV防止運動の推進者にすばらしいものを与えた。最悪の事態が起こる前に介入する時間的猶予だ。

次に、その猶予を有効に使う方法を考える必要があった。

2005年、ダンは虐待事件に日常的に関わる関係者を集めて、「DV高リスクチーム」

を結成した。警察、保護観察所、地元の病院、被害者保護団体、検察局、加害者対応団体などの人々を集めて、問題を包囲したのだ。月に一度、13人から15人ほどで集まり、キャンベルの危険度評価ツールで高リスクと判定された女性たちの事例を検討した。

このような協力体制が取られるのはとてつもなく異例なことで、通常ではあり得ない。たとえば、多くの地域で、被害者保護団体と警察は完全に敵対していた。

DV対応の関係者がそれまで主にやっていたのは、それぞれが受け持ちの仕事をして、別の誰かにバトンを渡すことだった。病院は被害者を保護団体に紹介し、保護団体は暴力を警察に通報し、警察は事件を検察に送る。関係者が一堂に会して話し合いを持つことはなかったし、対応だけでなく「防止」に目を向けることももちろんなかった。

高リスクチームのミーティングでは、一つひとつの事件を検討した。

第一歩として、被害女性のために個別の緊急時計画を立てた。避難が必要になったらどこに行くか？　ホテルやタクシーの料金を誰が負担するのか？　誰に知らせるか？

また、車での見回りが必要かどうかを話し合うことも多かった。警官が巡回中に被害者の家の前を車で通り、「監視しているぞ」というシグナルを加害者に送るのだ。

見回りは被害者にもシグナルを送った。

近くのエイムズベリーという町に住む引退した刑事のボビー・ワイルに聞いた話だが、あるとき警官が被害女性の家の前を通り過ぎようとして、何かに気づいたという。

「そこで車を停めてドアを叩き、『大丈夫ですか?』と訊ねたんだ。『ええ、でもなぜ? どうしたの?』と女性に聞かれ、こう答えた。『いつもはついていない屋根裏の明かりがついていたから、無事を確かめたくて』。女性はとても喜んでくれた」

いつもと違う場所に明かりがついているのを不審に思うほど気にかけてもらっていることがうれしかったのだ。女性は警官を家に招き入れ、お礼にクッキーをごちそうした。

高リスクチームは協力し合い、加害者に悪用されかねない制度上の欠陥を次々と見つけていった。たとえば、加害者がGPS追跡装置を足首に装着することを条件に釈放されることがあるが、釈放日から、GPSを付ける保護観察官との初回の面接日までに、2日ほどの空白期間があった。

「じゃあその2日のあいだ、加害者はどこにいるのかって話だ」とワイル元刑事は言う。

「いまではこういう決まりになっている。釈放される加害者を警官が保護観察所に連れていき、その場で追跡装置を取りつける。そうすれば、加害者に2日間の猶予はなくなる」

高リスクチームの参加組織の代表ダグ・ゴーデットは語る。

「もし20年前に、将来、警官と被害者保護団体のスタッフが同じ部屋に座ってコーヒーを飲みながら談笑することになると聞いていたら、夢でも見てるのかと言ったでしょうね。でもそれが現実に起こっているんです」

チームは2005年から172件以上の高リスク事例を扱っているが、被害者の90%がその後の暴行を報告していない。

ダンの地域では高リスクチームが結成される前の10年間に、8人がDVで死亡していた。だが高リスクチームが「暴力に最も脅かされている女性を守る」という使命の下で活動を開始してからの14年間に、DVで命を落とした女性は1人も出ていない。ただの1人もだ。

「データ」を中心にする

高リスクチームの教訓をまとめると、こうなる。

しかるべき人たちで問題を包囲せよ。

彼らに問題を早く知らせよ。

具体的な事件を防止するために力を合わせよ。

最後の点を補足すると、このチームは「DVを取り巻く政策課題」を話し合うためではなく、特定の女性が殺されるのを防ぐために結成された集団だった。

前に紹介したシカゴ学区の物語との共通点に注目してほしい。新入生進捗(FOT)の取り組みを指揮したペイジ・ポンダーの言葉を振り返ってみよう。

「教師のすばらしい点は、どんな思想の持ち主であろうと、マイケルという生徒の話になれば、マイケルのことだけを親身になって考えるところです。つまり、具体的に何をすべきかという話になるんです。……『マイケルを来週はどうしよう?』と」

同じ思いが、ニューベリーポートの取り組みを駆り立てた。

警官、検察官、団体職員、医療関係者のそれぞれは、所属組織ごとに異なる優先事項を持っていた。だが、地元の女性が夫にDVで殺されるのを防ぎたいという思いが全員に共通していた。この共通の目標が、協力の原動力になったのだ。

シカゴ学区の物語とのもうひとつの共通点は、データの重要性だ。このことには僕も自分の研究でたびたび気づき、驚かされている。

何かを発見したり進捗を測定したりするのにデータが役立つことはもちろんわかっていたが、**多くの上流活動がデータを中心に回っている**とは思ってもみなかった。

データは文字通りの意味でも「中心」にあった。シカゴの教師やカウンセラー、ニューベリーポートの高リスクチームは、テーブルを一緒に囲み、中心に置かれたデータを見ていたのだ。目の前の最新データをもとに、次の週に何をするかを決めていた。

シカゴのチームが見ていたデータは、「マイケルは前回のミーティング以降登校しているか?」「マイケルの各科目の成績は?」「今週はマイケルにどんな支援を与えるか?」といったものだった。

ニューベリーポートのデータは、「ニコールの加害者はいまどこにいるか?」「加害者は何をしているか?』」「今週はニコールにどんな支援を与えるか?』」だった。

「学習」のためにデータを使う

このような体制を、ジョー・マッキャノンは「学習のためのデータ分析」と呼ぶ。彼はNPOや政府組織を指揮した経験を活かして、社会貢献活動の規模拡大の専門家として多くの国の活動に助言を与えている。

マッキャノンは、「学習のためのデータ」と「調査のためのデータ」は別物だと言う。「調査のためにデータを用いるというのは、こういうことです。『スミスくん、君は前四半期の売上目標を達成しなかったね。いったい、どうしたんだ? ウィリアムズくん、顧客満足度が下がってきているぞ。どうなっているのか?』」

データはたいてい調査目的で利用されるので、それ以外の利用法があるのに気づきもしないことがある。

マッキャノンは社会貢献組織のリーダーと話し合う際には、「データの収集や測定ではどんなことを重視しますか」と訊ねるそうだ。

「『現場の役に立つデータシステムを設計することです』という返事が返ってくることはありません。けっして」とマッキャノンは言う。「でもそれが何よりも重要なんです!

システムを設計するときは、まずこう考えなくてはなりません。『このデータをどう使えば、教師は学級運営を改善できるだろう？　医者や看護師は患者のケアを改善できるだろう？　地域社会はデータをどう使えばいいだろう？』と。なのに、それを念頭に設計されるシステムはほとんどないのです」

チームに最高の仕事をさせるには、**明確で切実な目標を定め、進捗を測るための実践的なデータをリアルタイムで提供し、あとはチームに任せておけばいい**、というのがマッキャノンの持論だ。

膨大な数の無駄な問い合わせが発生していたエクスペディアの状況が参考になる。複数の部門から人を集めたチームに、「数百万人の顧客を、電話をかけるわずらわしさから解放せよ」という目標が与えられた。重要で挑戦しがいのある目標だ。

それからチームは、同じ部屋に集められ、問い合わせ件数が増えているのか減っているのかがわかるように、随時更新されるデータを与えられた。チームは仮説を立て検証した。どんな対策に効果があるかを調べ、学習した。これが「学習のためのデータ分析」だ。

上司が部下を監視して、「明日までに問い合わせ件数を4％減らせ！」といった具体的な目標を指図する必要はない。

チームメンバーは連帯して責任を負う。データがあるからごまかしもしないし、やる気も出る。

現場に役立つデータを提供するのは大変な仕事だ。だがときには、具体的なデータが大きな問題の解決策を見つける唯一のカギになることもある。

ラリー・モリッシーはイリノイ州ロックフォード市長だった2014年に、「市長チャレンジ」に参加するよう周りから勧められた。これは連邦政府が推進する、全米の地域社会で退役軍人のホームレス解消をめざす運動だ。モリッシーは当時市長として3期目で、9年前の就任以来、ホームレスの問題に鋭意取り組んでいた。

ホームレス問題の一因は、ロックフォード市の衰退にあった。2013年のウォール・ストリート・ジャーナル紙の記事が、シカゴの北西約140キロのこの都市の陰鬱な状況をよく表している。

「かつてエアブラシや電動ガレージドアを生み出した豊かな製造拠点だったロックフォードは、いまや担保割れ物件の牙城となっている。ロックフォード都市圏の住宅ローンの約32%が、住宅評価額がローン残高を下回る担保割れ状態にある」

モリッシー自身も含み損を抱え、痛みを感じていた。

ロックフォード市の人口は2008年の大不況以来、減少傾向にあった（2018年時点の人口は約15万人）。よりよい機会を求めて住民が流出していた。

「市全体が一種の共依存関係に陥っていました」とモリッシーは語る。「中庸に安住し、失敗に慣れっこになっていました。社会全体に、依存関係で結びついた家族にありがちな特徴が多く見られました。お互いを非難し、責め合っていたのです」

モリッシーにとってホームレス問題とは、こうしたあきらめムードの象徴、「うまくいっていない多くのものごとをひっくるめた象徴」だった。

モリッシーはホームレス問題の重大性は認識していたが、「市長チャレンジ」への参加には二の足を踏んだ。「約10年もの間、この問題に取り組んでいました。最初の任期中にホームレス問題を終わらせるための10か年計画を立てましたが、目標達成には至っていませんでした。状況はむしろ悪化していましたね。……何をやっても無駄だ、という思いがありました」

「信じる」ことが最初の一歩

彼は渋々ながらも参加を決め、2015年初めに社会福祉課の職員とシカゴでの研修に出席した。これは連邦住宅都市開発省（HUD）の主催する研修で、住宅関連の人々が集まる部屋に市長は彼一人だった。

モリッシーらは、研修が人生を変えるような経験になるとは思ってもいなかった。しょせん、連邦政府機関が運営する研修にすぎないのだと高をくくっていた。

しかし、このときの研修がロックフォード市のホームレス問題対策の転換点になった。モリッシーは、なぜ対策が失敗し続けていたかをとうとう理解したのだ。「ひらめいたんです」と彼は言う。「何が欠けていたかがスッとわかりました」

それから1年と経たない2015年12月15日、ロックフォード市はアメリカの都市として初めて、退役軍人のホームレス状態を実質的に終わらせた。ホームレス対策で9年間も無駄骨を折っていた市が、なぜ1年も経たずにこれほど劇的な成功を遂げられたのだろう？

最初に起こった変化は、心理的なものだった。市の地域サービス課長でホームレス問題対策の中心的なリーダーの一人、ジェニファー・イエーガーは、このときのことを「妖精を信じた瞬間」だったと言う。

「最初の一歩は、『できる』と信じることでした。簡単なことじゃありません。大きな意識転換です。それまでやってきたように、ただホームレス問題に対処するだけでなく、**問題を終わらせることをめざし始めた**のです」と彼女は語る。

僕は2018年秋に、市の対人援助課の庁舎でイエーガーと会った。

殺風景で窓のないイエーガーの部屋は、広くてジグソーパズルのピースのような変わった形をしていた。ピースの突起にあたる場所には、節水シャワーヘッドの入った白い小箱が何百個も積み上げられていた。低所得者に配布する省エネキットの1つだが、保管場所がほかにないようだった。上流活動の勧誘ポスターをつくるなら、シャワーヘッドの箱に埋もれたイエーガーの部屋の写真に、「優雅に仕事をしたいのなら、下流にお戻りなさい」という見出しをつければばっちりだ。

状況を改善した「3つの変更」

ロックフォードのチームは研修を踏まえて、退役軍人のホームレス問題を終わらせるために3つの重要な変更を行った。

戦略の変更、協力体制の変更、データの変更である。

—1—「戦略」の変更

戦略の変更として、「ハウジング・ファースト（まず住まいを）」と称する戦略を導入した。従来の支援策では、住居提供はホームレスの人々に生活の立て直しを促すための「ニンジン」と位置づけられていた。薬物乱用や精神疾患の治療、職業訓練を受けることを交換条件に、住宅を提供していた。ホームレスの人々は努力して住宅を得なくてはならないという考えがあった。

「ハウジング・ファースト」はその順番をひっくり返した。ホームレスの人々を助けるための（最後のではなく）最初の一歩として、できるだけ早く住宅を提供するのだ。

「彼らを『ホームレスの人々』ではなく、『家のない人々』と考えるようになりました」とイエーガーは言う。「ホームレスの人は、ただ家がないだけです。家がない人が抱える問題は、家がある人となんら変わりません。……家さえあれば、ほかの問題に取りかかれるのです」

2 「協力体制」の変更

「ハウジング・ファースト」戦略の導入とともに、協力体制も変更した。その1つが、「窓口の一本化」だ。

市がホームレスの人々に提供する住宅は、支援住宅、移行住宅、保護施設（シェルター）など多岐にわたる。それにホームレスの人々との窓口になる機関もさまざまだ。まるでホテルに7つのフロントがあって、それぞれのフロントに誰が何日宿泊できるかを定めた異なる規則があるようなものだ。

「行き当たりばったりのシステムでした」と、イエーガーの同僚アンジー・ウォーカーは言う。「ただ適当と思われる人に、適当と思われるときに住宅を割り当てていただけでした」

それがいまでは様変わりしている。「私たちのこのオフィスが唯一の窓口です。ホームレスになり、住む場所が必要になった人はみんなここに来なくてはなりません」

窓口を一本化することのよさは、誰に住宅を提供すべきかをしっかり考えて決定できることにある。優先順位をつけることができる。

行き当たりばったりのシステムでは、住宅が得られるのは早く申し込んだ人や、悪くすれば、住宅を与えやすい人になりがちだった。組織は収容したホームレスの数で業績を評価されることが多いため、手っ取り早く住宅に収容できそうな人を選ぶ動機があった。

3 「データ」の変更

新しい目標は、「最も立場の弱い人々、最も切実に必要とする人々に住宅を与えること」に変わった。ここで役に立ったのが、データの変更だ。

それまでロックフォードの住宅提供チームは、連邦住宅都市開発省が義務づけるホームレス人口の「定時調査」を、毎年決まった時期に行っていた。地域のすべてのホームレス保護施設を決まった日に訪問して入居者の数を数えていた。「町に出て、路上生活者を数えることすらしていませんでした」とウォーカーは言う。

ウォーカーは調査を引き継いだとき、やり方を変えた。ホームレス人口調査は年に一度の「定時」調査から、「名簿」方式に変更された。

「名簿」方式とは、ロックフォードのホームレス人口のリアルタイム調査のことで、一人ひとりの氏名と履歴、健康状態、最後に目撃された場所がグーグルドキュメントに記録される。

このリストの活用方法は、ニューベリーポートのDV高リスクチームが行っていることと不思議なほど似ていた。ロックフォードでは協力者のチーム（検察、消防、医療・精神医療機関、社会福祉機関の代表）が月に一、二度集まってホームレス問題を話し合う。ミーティングでは、名簿上の特定の人々について話をする。

アンジー・ウォーカーによれば、ミーティングはこんなふうに進むという。

ウォーカー： ジョン・スミス、32歳。DVから逃げてきたと言っています。最後に会ったときは、友人の家にいると言っていました。誰かジョン・スミスを見た人はいますか？

消防： ああ、先週病院に運んだよ。まだ入院しているかもしれない。

精神医療チーム： いや、僕は2日前に橋の下で見かけた。

ホームレス保護施設： 最近ジョンはよく昼食を食べにくるわよ。

そこで、全員で計画を立てる。

ウォーカー： なるほど、保護施設に来ることが多いみたいね。それじゃ、今度ジョンが来たら、いまどこにいるのか、何が必要なのか聞いてもらえますか？　ジョンの準備ができしだい入居できる住宅があるってことも伝えてください。

こうしたミーティングは過去にも行われていたが、名簿を使い始めてから進め方が大きく変わった。

モリッシー市長によると、過去のミーティングは「不満大会」だったという。「ただみんなで集まって、あれがひどい、これがひどいと文句を言い合うだけでした」

ジェニファー・イエーガーはいまのミーティングのことをこう言い表す。「いまは活気があります。データそのものが生き物のようです。データは『これに気をつける必要がある、これを考える必要がある』と語りかけてくるんです」

問題の「動的性質」に気をつける

地域社会のホームレスをゼロにする国家的取り組み「ビルト・フォー・ゼロ」の責任者を務めるベス・サンダーは、**地域社会がデータをこのように使い始めると、すべてが変わる**と言う。

「データのおかげで、抽象的な話から離れることができます。『何が起こっていると思うか』という、裏づけに乏しい議論をやめて、『何が実際に起こっているか』を議論するようになるんです。更新されないデータでは、刻一刻と変わる問題を解決することはできないですから」（ビルト・フォー・ゼロ運動には、ロックフォードを含む60超の地域が参加している）

ロックフォードはいま説明した方式を用いて、2015年に156人の退役軍人に住宅を提供し、退役軍人のホームレス人口「実質ゼロ」を達成した。* 2017年には慢性的な（長期の）ホームレス人口で実質ゼロを達成し、また2019年末までに若者のホームレス人口を実質ゼロにすることをめざしている。

ロックフォードでこんなに大きな変化が、しかもこんなに条件が変わらない中で起こったことには驚かされる。ホームレス問題に取り組む人々の顔ぶれや、利用可能な物的・財政的資源、市全体の状況は何も変わらなかった。**ただ協力体制を変え、協力の指針となる目標を変えただけで、取り組みの有効性が劇的に高まった**のだ。

「毎日が闘いです」とウォーカーは言う。「誰かを住宅に入れるのも大変だし、家主と交

＊ 実質ゼロとは、路上生活者の人数が、市の月間住宅提供数を下回る状態をいう。たとえば市は毎月5人の路上生活者に住居を提供できるとしよう。市のホームレス人口が4人なら、市は「実質ゼロ」の状態を保っていると言える。これは抜け穴でも何でもない。「真のゼロ」が、現時点では達成不可能だと認めたというだけの話だ。なぜなら、残念ながら新たにホームレスになる人は必ず出てくるからだ。新たにホームレスになる人がいても、システムがきちんと機能しているから、すぐに住宅に収容できる。

渉するのも大変。ホームレスの人とケンカし、当局ともケンカする。丘を攻め上るような本当に苦しい闘いです。ほら、山頂まで岩を押し上げ続ける男の話があるでしょう？　毎日があんな感じ。でもホームレスの人をゼロにできるなら、苦労のしがいがあるというものです」

ウォーカーとイエーガーは「流入」の問題、つまり新たにホームレスになる人を減らす取り組みにも目を向けた。いろいろな意味で厄介な問題だが、彼らはすでにテコの支点を1つ見つけている。強制退去だ。

ロックフォードの一部地域では、住宅の強制退去率は24％にも上る。

借主が強制退去を迫られた場合に、市が家主と借主の仲介役を務めるプログラムが、2019年初めに試験的に始まった。市が家主と借主のために滞納家賃の返済計画をまとめたり、家賃の一部を負担することもある。1、2か月分の家賃の負担でホームレス化を防ぐことができるなら、ホームレスになってしまった人にふたたび住宅を提供するよりずっとコスト効率が高い。

イエーガーによれば、この計画により、強制退去でホームレスになる人の数が30％も減少したという。

彼らはさらに上流に向かっている。家を失った人々にすばやく対応する代わりに、そもそも家を出ずにすむようにしているのだ。これは次章で取り上げる「システム変革」の一例である。

問題を生み出している仕組みをつくり直せるようになれないだろうか？　またその過程で、問題が起こらないようにする確率を上げることはできるだろうか？

CHAPTER 6

「システム」を変えるには？

——目の前の「水」に目を向ける

カナダのモントリオール育ちのアンソニー・アイトンは、外科医をめざしてジョンズ・ホプキンス大学で学ぶために、１９８５年にメリーランド州ボルチモアに引っ越した。しかしボルチモアで初めて目にしたものが、彼の人生を変えた。それは東ボルチモアの荒廃した光景だった。

「爆弾でも落ちたのかと思うほどでした」とアイトンは言う。「放心したように階段に座り込んでいる人たちを見て、『いったいどうしたんだ？』と衝撃を受けました」

アイトンはアフリカ系カナダ人だが、ボルチモアのような環境で黒人が暮らしているのを見たことがなかった。カナダの都市には、このような場所はない。

「黒人の先輩に町を案内してもらったときのことでした。私があまりに呆然としていたので、大丈夫かと言われました」とアイトンは語る。「戦争でも起こったんですかと聞くと、あきれたようにこう言うんです。『ここをどこだと思ってるんだ? インナーシティ〔都市部の貧困地区〕だぞ』と」

アメリカ人が都市部の貧困を仕方のないものと考えていることが、アイトンには信じられなかった。「なぜ先進国でこんなことがまかり通っているんでしょう? すべてにおいてナンバーワンを自負し、世界最高の国を公言してはばからない、このアメリカで。何だ、この状況は、と思いましたよ。まったくわけがわかりませんでした。あれは良心を揺さぶられる出来事でした」

地区によって「平均寿命」が大幅に違う

それから何年も経った2003年に、この不公平感を改めて強く感じさせられる出来事があったという。

アイトンは医学部を卒業後、カリフォルニア大学バークレー校で法律の学士号と公衆衛生学の修士号を得た。アラメダ郡公衆衛生局長に就任すると、地域の平均寿命に関心を抱くようになった。平均寿命のデータは全米の多くの公衆保健局によって公表されていたが、ほとんどが大きな地域ごとの集計だった。たとえばアラメダ郡なら、郡の全住民の平均寿命というように。

だがアイトンはもっと精確な、地区ごとの平均寿命のデータを知らなくてはと考えた。どこからその発想を得たのか？

「東ボルチモアですよ」と彼は答えた。「あそこで暮らした経験から思ったんです。あの状態が健康に害をおよぼさないはずがない、と」

歴代の局長でこれを分析した人はいなかったが、必要なデータはすべて手元にそろっていた。郡の死亡証明書には、死亡者の人種、死亡年齢、死因、居住地が記載される。アイトンは局長の仕事の一環として、すべての死亡証明書に署名していた。

分析結果は衝撃的だった。

2009年、イーストベイタイムズ紙の連載記事「縮められた命」に、その結果が掲載された。ライターのスザンヌ・ボーハンとサンディ・クレフマンが、アイトンの同僚マット・バイヤーズの助けを借りてまとめたデータだ。

コントラコスタ郡ウォルナットクリーク（郵便番号(ジップコード)94597）の平均寿命が87・4歳だったのに対し、すぐそばのアラメダ郡ソブランテパーク（郵便番号94603）では71・2歳に急下降した。35キロほどしか離れていない2つの地区で平均寿命が16年も違うことを、アイトンらは発見したのである。

その後ボルチモア、ミネアポリス、ロサンゼルスなどの都市でも地区ごとのデータが集計され、同様のパターンが明らかになった。クリーヴランドでは、シェイカーハイツ地区から約6キロ先のボールドウィン水処理工場まで**80分ほど歩く間に、平均寿命が23年も縮んだ**。「同じ都市の中にスウェーデンとアフガニスタンが並んでいるようなものです」とアイトンは説明する。

「壊れたシステム」をつくりかえるには？

アイトンがとくに驚いたことに、この格差を説明できる人は誰もいないようだった。多くの人がこの格差を医療事情の違いによるものと考えた。寿命が短い人は医療保険に入っていないか、保険で利用できる医療の選択肢が少ないのだろうと。

データを分析したが、医療事情の違いでは格差をほとんど説明できなかった。

都市の貧困地区はエイズや殺人による死亡が多いからだろうか？　乳児死亡率が高いからなのか？　それらの説は間違ってはいなかったが、格差を説明するまでには至らなかった。不健康な習慣（とくに喫煙率の高さ）のような、より包括的な要因でさえ、格差の大部分を説明できなかった。

スウェーデンとアフガニスタンというたとえが示すように、平均寿命が15年や20年も違うというのはとんでもなく大きな違いだ。ちょっとやそっとの要因では説明がつかない。何か大きな、網羅的な力が働いていなければ、そこまでの差が生じるはずがない。

そしてアイトンは気がついた。寿命の差を生み出しているのは特定の要因ではない、すべての要因なのだと。

「人が病気になったり具合が悪くなったりするのは、突き詰めれば『自分の身に降りかかることを自分でコントロールできない』という無力感のせいです」と、アイトンはラジオの対談で答えている。「貧困地区の住民は、まさに四面楚歌の状態にあります。住まいを確保し、よい教育を受け、犯罪を免れ、仕事を探し、健康的な食べ物を手に入れるのに四苦八苦し、飲み水を得るのにさえ苦労することもあります。わが国の低所得者は、多くの心配事に絶えず翻弄されながら生きているんです」

この気の休まらない状態がストレスを生む。アメリカの貧困社会は「慢性的ストレスの培養地」なのだと、アイトンはTEDxトークで語った。「低所得者と高所得者には生理学的な違いがあります。それは生まれつきではなく、環境のためです」

慢性的ストレスとさまざまな健康問題、とくに心疾患、糖尿病、炎症の間に関連性があることが実証されている。

そのため、医療機関の力だけでは寿命格差を縮めることはとうていできない。問題は医療不足ではない。健康不足だ。思い出してほしい、「どんなシステムも、設計された通りの結果を生み出している」。貧困地区は早死を招くよう設計されているのだ。

アイトンにとっては厳しい発見だった。彼が医師や保健当局の高官として駆使できる手法や手段では、問題を解決できそうになかった。**どうしようもないほど壊れたシステムをつくりかえるには、どうしたらいいのだろう？**

1、2塁間にできた「水たまり」

1962年のシーズン終盤、サンフランシスコ・ジャイアンツはロサンゼルス・ドジャースとの重要な3連戦を控えていた。盗塁王モーリー・ウィルスを主力とするドジャースは、ジャイアンツに5・5ゲーム差をつけていた。

連戦が始まる前、ジャイアンツの監督が球場管理人のマッティー・シュワブのところにやってきて、ウィルスの俊足をなんとかできないものかね、と意味ありげにウィンクしながら言った。

「今日から連戦が始まるという日、父と私は夜明け前からキャンドルスティック・パーク球場に詰めていました」とマッティーの息子のジェリー・シュワブが言ったと、スポーツ・イラストレイテッド誌のノエル・ハインドの記事は伝えている。「早く走れなくなるような罠を仕掛けていたんです」

記事はこう続く。

「シュワブ父子はグラウンドを懐中電灯で照らしながら、ウィルスがいつも1塁からリードを取る位置の地面を掘って、表土を取り除いた。この穴の中にグチャグチャの泥砂と水苔、水を入れ、それから細工を隠すために内野用の土を薄くかぶせて、1・5×4・5メートルほどのぬかるみが、塁線上のほかの部分と見分けがつかないようにした」

ドジャースはだまされなかった。バッティング練習が始まると、選手とコーチがぬかるみを発見した。審判も気づいて、取り除くよう命じた。シュワブと整備係が手押し車を押してやってきて、泥を掘り起こして運び去り、すぐにまた手押し車に土砂を満載して戻ってきた。

中身は同じだった。新しい泥を少し混ぜただけ。そのせいで前よりかえってドロドロになった。

だが審判はなぜか満足した。するとマッティー・シュワブが、内野に水を撒けと息子に命じた。たっぷりとな。

試合開始時には、1、2塁間に水たまりができていた（「2塁ベースの下でアワビが2つ見つかった」と、ロサンゼルスのスポーツコラムニストが腹立ちまぎれに書いている）。この年MVPを受賞することになるモーリー・ウィルスをはじめ、1人も盗塁しなかった。

ジャイアンツは11対2で勝利した。シュワブ父子はこれに味を占めてさらにドロドロのぬかるみをつくり、ジャイアンツはドジャースに連勝し、その後、ナショナルリーグ優勝を勝ち取ったのである。

この物語はいたずら心にあふれている。もちろんけしからんことだが、どこか憎めないところがある。父子の球場整備係がリーグMVPに一杯食わせたと思うと、びっくりする。劣勢のチームが一矢報いた――整備係が地元チームの勝率を有利に傾けたのだ。

圧倒的に不利なルーレット

では、スポーツの世界から出て、この物語の暗黒版を考えてみよう。それは負け犬がいつまでも負け続ける世界だ。なぜかといえば、彼らに不利になるような細工がされているからだ。バットは重く、グラブは小さく、フェンスは遠く、どこへ走るにもぬかるみが邪魔をする。

それが、地区別の平均寿命の分析でアンソニー・アイトンが発見したことだった。貧困地区の住民は、圧倒的に不利で勝ち目がない戦いをしていた。

もちろん、どんなことにも例外は必ずある。短命の地区にも健康的な人はいるし、長寿の地区にも病気の人はいる。

多大な努力と支援があれば、不利な環境を克服できることもある。圧倒的に不利な環境からハーバードに合格した生徒の話が毎年のようにマスコミを賑わせ、人々はそれを喜ばしいことだと歓迎する。だがそれは、本当に喜ばしいことなのだろうか？

「毎年この手の話を読むたびに腹が立ちます」とアイトンは言う。「低所得地区に賢い黒人の子どもがいるのは当然でしょう！　そんな子は何百万人といますよ。幸運な子がたった1人いたからといってもてはやす。もちろん、その子にとっては喜ばしいことです。でも本当に問うべきことはほかにあるはずです。なぜこれがそんなに珍しい話になるのかってことです」

システムとは、確率を決定する仕組みである。最もうまく設計されたシステム、この事例で言えば最も長寿の地区では、住民は圧倒的に有利な状況に置かれている。ルーレットを回して赤が出れば勝つし、黒が出ても勝つ。

一方、貧困地区のような欠陥のあるシステムでも、ルーレットは回せる。選択と偶然の要素はある。だが**勝つためには、ルーレット盤の緑の「0」か「00」のポケットに玉を入れるしかない**のだ。

低所得地区の子どもがハーバードに合格したと聞いて感嘆するのは、その子が数々の困難を克服したことに感嘆するからだ。

だがそれを喜ぶことが、そのような環境に子どもが置かれていることを暗黙のうちに是認することになっているのには気づかない——よい人生を送るためにエベレストに登らなくてはならないような環境にいたのに、それでも君はやり遂げた、おめでとう！（コネチカット州グリニッジ在住のヘッジファンド経営者の子どもがハーバード大学に受かったと聞いても、誰も涙ぐみはしない）

システムが問題の「確率」を決める

上流活動とは、問題が起こる確率を減らすための取り組みをいう。それゆえ上流活動は最終的にシステムや制度の抜本的な変革をもたらすものでなくてはならない。問題が起こる確率を決定するのは、システムだからだ。

システムを変革するとは、人々に課されたルールや、人々に影響をおよぼす価値観や風潮を変えるということだ。

作家のデイヴィッド・フォスター・ウォレスが、こんな物語を語っている。

「若い魚が2匹仲よく泳いでいる。すると、年上の魚が向こうの方から泳いでくる。軽く会釈すると、こう訊ねた。『やあ、お若いの、水はどうだね？』。若い魚たちはそのまま少し泳ぎ続け、やがて1匹がもう1匹を見やって聞いた。『水っていったいなんだ？』」

ここでいう「水」が、システムだ。

ときにはシステムが文字通りの水のこともある。

アメリカの水道水には数十年前から虫歯予防のために微量のフッ素が添加されている。目立たない計画だが（水にフッ素が入っているなんて考えたことがあるだろうか）、絶大な効果をおよぼしている。

フッ素添加水を利用できるアメリカ人は2億人を超えた。その成功は、疾病予防管理センター（CDC）が飲用水のフッ素添加を20世紀の公衆衛生の10大業績の1つに挙げるほどだ。フッ素添加に1ドル投資するごとに、歯科治療費を20ドル節約できるという研究結果もある。

よくできたシステムは、最良の上流介入と言える。自動車の安全推進を考えてみよう。自動車走行100マイル（約160キロ）当たりの死者数は、1967年に約5人だったが、飲酒運転の減少や道路の改良、シートベルトやエアバッグの装着、ブレーキ技術の向上などにより、50年後には1億マイル当たり約1人にまで減った。

つまりシステムが大幅に改良されたわけだが、誰かがそれを中央で計画したわけではない。「システム設計者」は1人もいなかった。

そうではなく、自動車専門家や輸送技術者、飲酒運転に反対する母親の会のボランティアといった何千人もの人々がシステムに手を加えたおかげで、数百万人の安全が向上した。さまざまな人が少しずつ「水」を調整してきたのだ。

水の調整はいまも続けられている。変革が成功したとはいえ、アメリカではいまも年間

3万7000人が自動車事故で命を落としている。

もしかすると、今後自動運転車の改良が進み、やがて事故の死者がゼロになる日が来るかもしれない。だがそうなるまでの間も、間違いを起こしやすい人間のドライバーを支援するための調整が、毎週のように行われているのだ。

たとえば全米各州の運輸局は、事故の多い急カーブにきめの粗い素材を強力な接着剤で道路に貼りつける高摩擦表面処理（HFST）を開始した。この処理が広く導入されたケンタッキー州では、急カーブの事故が80%近く減少した。処理が行われていなければきっと起こっていたであろう衝突事故を避けられたドライバーは、道路工事の作業員のおかげで生きていられることに気づいてもいない。

「水」が変われば、結果も変わるのだ。

「子どもの目」で水を見る

ビジネスでももちろん、同じことが言える。環境を少しばかり変えれば、問題を解決できることがある。あるファストフード店では、食事を載せるプラスチックのトレーをゴミ箱に捨ててしまう客が多かった。そこで店はゴミ箱の投入口を小さく丸い穴に変えて、トレーが入らないようにした。一件落着だ。

オランダの自転車製造会社ヴァンムーフは、商品が輸送中に破損したという苦情を受けることが多かった。同社のクリエイティブディレクター、ベックス・ラッドがブログに書いている。「うちの自転車は、コンバインで粉砕されたのかと思うほどズタズタになって届くことがよくありました。コストはかさむわ、顧客の怒りは買うわでさんざんでした」

解決策？　発送用の段ボールに薄型テレビの絵を印刷したのだ。自転車を入れる箱は、薄型テレビ用の箱と形がそっくりだった。「チームで知恵を出し合って、もっと高価な品が入っていると思えば配送業者も気をつけてくれるだろうと考えました」と共同創業者のタコ・カーリエが記者に語っている。破損率は70～80％低下した。

あなたの生活や仕事の、目に見えない「水」は何だろう？

おもしろいことに、子どもには水が見えることが多い。僕らが気づいてもいないことを見て取るのだ。

友人の幼い娘が、猫背になってトランプの箱を人差し指でトントン叩いていたそうだ。何をしているんだろうと友人は不思議だったが、ようやく気づいた。俺がスマホをいじるのをまねしているのか、と。「それで、ｉＰｈｏｎｅをいじってばかりいることを反省した」という。

またネットで読んだ話だが、ある男性が高速で車を飛ばしていたとき、後部座席の２歳半の娘が聞いてきたそうだ。「今日はばか連中(イディオッツ)はいるかなあ、パパ？」。子どもは親の本当の姿を見ている。

もちろん、子どもはすべてを見通すことができるわけではない。子どものためのシステム設計は親が行う。親が裁判所となり、住宅省や社会福祉省となり、（少なくともしばらくの間は）教育省となる。

先の章でも言ったが、子育ては上流思考が自然にできている数少ない分野だ。親が子どものために行うことのほぼすべては、子どもの将来の幸福と健康を守ることを念頭に置いて行われる。子どもの安全対策や、「頼みごとをするときは丁寧に」といったしつけ、まぶしい画面のついていないものに興味を持たせるために与える本やルール、習い事などの涙ぐましい努力のすべてが、上流活動なのだ。

善意かどうかより「設計」に注目する

だが、この気遣いの半分でもいいから、よその子どもたちやその未来に向けることができたら、世界はどう変わるだろう？

本来子どもは、人生で成功するためにルーレットの「緑の0」に玉を入れる必要などないはずだ。公平で公正な社会は、公平で公正なシステムの上に築かれる。あたりまえだと思うかもしれないが、公平と公正を求めて闘う人々でさえ、このことは忘れがちだ。

社会貢献組織の活動で僕が残念だと感じることが多いのは、彼らが変えようとしている欠陥あるシステムを、彼らが暗黙のうちに是認する結果になっていることだ。

ずいぶん前のことだが、低所得者の経済的安定を図ることをめざす基金のリーダーと仕事をしたことがある。この基金が支援していたプログラムに、低所得者にお金の管理術を教える講座があった。

だが、これは声を大にして言いたいのだが、**低所得者はお金の管理術を知らないから貧しいのではない**。お金がないから貧しいのだ。十分な機会を提供しないシステムのせいで貧しくなったのだ。もしも彼らが数キロ先の地区の、もっとましなシステムの下に生まれていたら、お金の管理術にくわしくなくても十分な収入を得られただろう。

その一方で、この基金のお金の流れにはショッキングな点があった。基金の資産を管理して1、2%の手数料を得る投資運用者や、基金の高給取りの重役や予算責任者、講座が行われる施設の運営者、講師、そして活動全体を監督する学識経験者等々、この生態系に属する人々の全員が基金からお金を得ていた——ただし、低所得者を除いては。低所得者はお金の管理を教わるだけだった。

これを、システム変革のレンズを通して見てみよう。このプログラムは、プログラムがなくそうとしていた不平等を、ある意味で永続させていた。よい教育を受けた善意の人々に雇用機会を提供する一方で、本来助けなければならない人々には何の機会も与えていなかったのだから。

よく思うのだが、そんな基金なんか畳んでしまって、代わりに低所得地域でお金を配り歩いた方が、簡単に劇的な効果を挙げられるのではないだろうか。もちろんそれではシステム変革にならないが、少なくとも「低所得者の経済的安定」を目に見えるかたちで高めることはできるだろう。

「一時的」なものか、「永続的」なものか？

もう一例として、「ドナーズチューズ」というウェブサイトは、教師が文具やコンピュータ、本、その他の教材の購入資金を得るために、オンラインで寄付を募ることができる仕組みである。

サイトを運営する同名のNPOは、教師によって創設された、優良経営の効率的な組織だ。創設から20年足らずのうちに、50万人を超える教師が8億7500万ドルもの資金を調達して、本来なら得られなかったはずの教材を手に入れている。*

＊ 僕はドナーズチューズのサイトで教師が提案するプロジェクトに何度も寄付しているし、組織のイベントで基調講演をしたこともあるし、生徒が寄付者にお礼の手紙を書くというすばらしい慣行を前著で賞賛もした。この組織がとても好きなのだ。システム全体への長期的な影響を心配しながらも応援している。

では、ちょっと考えてほしい。このＮＰＯが今後も急成長を続け、20年後にいまよりずっと多くの教師、たとえば大半の教師がそのサービスを通じて資金を得るようになったとしよう。この取り組みが、切実に必要な教材の購入資金を教師に支給しない口実を教育学区に与えている、というそしりを免れられるだろうか？

そのうえ、ただでさえ働き過ぎの教師に、資金調達の仕事を増やしたり、また個人の資金提供者が思いのままに資金を与えたり止めたりして、教室で使われる教材を決定するようになったりするかもしれない。よその国にドナーズチューズのような組織がないのは、おそらく生徒が必要とする教材の購入費は学校が負担しているからだろう。

ドナーズチューズが不当なシステムを延命させる恐れがあるのなら、活動を停止すべきだろうか？ 同様に、食料配給所は不十分な社会的セーフティネットを維持する口実を与えるからよくないのだろうか？

それでも、いつ行われるかわからない改革を待つ間、生徒に教材を与えず、困窮家庭に食料を与えないのはおかしい気がする。

ドナーズチューズは、資金不足で欠陥の多い教育制度の「クラッチ」のようなものだ。クラッチはとても重要だ。だが、本来それは一時的なものだ。

ドナーズチューズのメンバーは、ドナーズチューズが存在する必要のない世界をめざすべきだ。食料配給所のボランティアも、食料配給所のない世界をめざすべきだ。そしてそんな未来をただ望むだけではなく、積極的に求めなくてはならない。

ドナーズチューズの活動には約400万人の支援者と50万人の教師、3600万人の生徒が関わっているとウェブサイトに記されている。彼らが政治勢力として結集したらどうなるだろう？　システムの欠陥に対処するだけでなく、システムを変革する手助けができるのではないだろうか？

この疑問をドナーズチューズの創設者チャールズ・ベストにぶつけると、こんな返事が返ってきた。

「（サイトに登録されるプロジェクトの約半数が）教育制度ではふつう資金が得られないようなものです。たとえば生徒に最高裁の訴訟審理を見学させたい、生命の循環を実感させるために蝶の蛹（さなぎ）を見せたい、障害を持つ生徒に乗馬療法を受けさせたい、など」

また、本や文具、機材などのより基本的なリクエストに関しては、「われわれの仕事なんて必要ないようになってほしいものです」と言っていた。成功を祈っている。

「成功率」にフォーカスする

どんな社会貢献組織も上流にさかのぼることを使命にしなくてはならない。

ケガを治療するとともに、予防する。不公平な扱いに苦しむ人々を助けるとともに、不公平をなくす。

イリノイ州ロックフォード市のチームも、退役軍人のホームレスと慢性的なホームレスをなくしたアメリカ初の都市として歴史に名を刻んだ直後に、さらに上流にさかのぼり始めた――強制退去に介入することでホームレス化を防げないだろうか?

システム変革は組織の外側からだけでなく、内側から起こすことも重要だ。一例として、多くの組織が多様性のある人材を確保するために行っている、さまざまな取り組みを考えてみよう。

ここでまず認識すべきことは、大きな組織が比較的均質な人材を採用している場合、その人材構成は偶然できあがったものではないということだ。「どんなシステムも、設計された通りの結果を生み出している」という言葉を思い出してほしい。

採用方式が意図的に差別を行うために設計された、と言っているのではない。このご時世、多様性に反対するリーダーなどほとんどいない。

だが「善意」だけではシステムの欠陥を克服することはできない(シカゴ学区でも、教師や校長は卒業率を高めることに反対などしていなかった。その正反対だ。だが生徒の半数を落第させるシステムに長年気づかず、結果としてその延命に加担していた)。

本当に考えなくてはならないのは、次の問題だ。

組織内のほとんどの人が多様性に富む人材を雇いたがっているのに、なぜそれができないのだろう？

答えはたぶん複雑だ。自分たちで思っているより小さな範囲で人材採用をしてしまっている、業務遂行能力にあまり関係のない資格を評価してしまっている、無意識の偏見で候補者を選別してしまっている、等々。

こういった問題を解決するには、個人ではなくシステム全体を変えなくてはならない。組織を内側から変革する人は、**設計に誤りのあるシステムを隅々まで考え直す**ことが欠かせない。

毎年同じ10大学のキャンパスで採用活動を行うのをやめるべきかもしれない。選考過程で履歴書の氏名と性別を伏せるべきかもしれない。採用担当者を訓練して、面接が雑談にならないようにすべきかもしれない（雑談的な面接では「好感度が高い」候補者、つまり自分に似た候補者を選びがちになる）。

システム変革は勇気のひらめきから始まる。共通の目的を持つ人々が結束して、変革を要求する。だがひらめきは永遠には続かない。

だから勇気によってシステム内部の変革に弾みをつけたら、あとは勇気などなくても変革が進むようにするのが目標だ。

正しいことがあたりまえのように行われる、つまり個人の情熱や果敢な行動がなくても自然に行われるようになって初めて成功と言える。

「成功率」が是正されて初めて成功したと言えるのだ。

「力を使う方法」を明確にする

アンソニー・アイトンも、地区別分析で発見した不平等、遺伝子コードより郵便番号(ジップコード)で健康状態が決まるという衝撃的な事実を正そうとしたとき、この方針をとった。

寿命格差が一連の新聞記事で報じられた2009年に、アイトンは不平等を是正するチャンスを得た。州最大の民間保健基金であるカリフォルニア基金に加わり、「健康的な地域社会づくり」(BHC)という大胆な計画を考案し、のちに指揮するようになった。

BHCは2010年に開始した10億ドル規模の10か年計画で、カリフォルニアの14の貧困地区の健康格差を是正することをめざした。

アイトンらは貧困地区での「成功率」をどうやって好転させたのだろう?

手始めとして、糖尿病やぜんそくなどの慢性疾患の改善に取り組んだのだろうか? それとも市民庭園のような目に見えるシンボルを建てたのか? あるいは食の不毛地帯に食料品店を誘致したのか?

そうではない。**第一歩は「力」だった。**貧困地区の住民に、彼ら自身のために戦い、環境を変えるための方法を示したのだ。

「この計画の中心となっているのは、一人ではできないこともみんなでならできる、という考えです」とアイトンは説明する。「私たちは無力ではない。個人として、集団として、大きな力を持っている。……民主的な手続きを活用して主体性を発揮しようということです。主体性を持つことは健康にもいいんですよ」

人は社会の利益のために戦う力を与えられれば、その力で政策を勝ち取り、システムを変革することができる。そうして環境を少しずつ変えていき、成功率を好転させるのだ。それが、BHCの変革に対する考え方である。

現実を「数字」で周知する

BHCが支援した14地区の1つ、カリフォルニア州フレズノ市の取り組みを紹介しよう。フレズノでは当初、南フレズノに公園がないという事実に注目した。2015年に、フレズノのチームはBHCの支援を得て、こんな広告を市バスに出そうとした（次ページ）。市当局は政治色が濃すぎるという理由で、広告の掲載を拒否した。このことがメディアや世論の関心を集めた。狙い通りの展開だった。

フレズノBHCの活動家サンドラ・セレドンは、拡大版の広告の前で記者会見を行った。

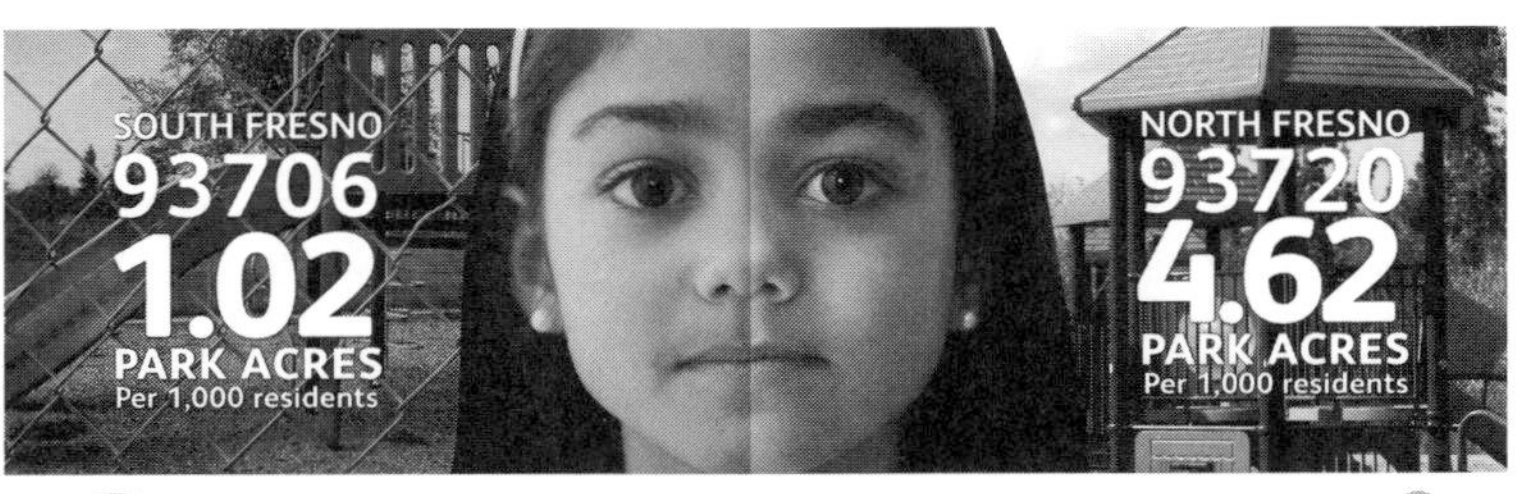

Your ZIP Code shouldn't predict how long you'll live – but it does. Because where we live, affects how we live. Staying healthy requires much more than diets and doctors. We need #OneHealthyFresno with better parks for all. To learn more visit: www.fresnobhc.org

南フレズノの公園面積 ： 9万3706エーカー	北フレズノの公園面積 ： 9万3720エーカー
住民1000人当たり公園面積 ： 1.02エーカー	住民1000人当たり公園面積 ： 4.62エーカー

どの地区に住むかによって寿命が決まるのはおかしい――でもそれが現実です。なぜなら、どの地区に住むかによって暮らしが変わるからです。食事や医療だけでは健康を守ることはできません。全住民によい公園を勝ち取るための計画 #OneHealthyFresno（みんなの健康的なフレズノ）が必要です。くわしくは www.fresnobhc.org をご覧ください（*）。

「フレズノ市は私のうしろにある、このいたいけな少女の美しい広告を、挑発的で政治色が濃すぎて住民には見せられないという理由で掲載しませんでした」

フレズノBHCが主導する政治運動は、ゆっくりと実を結び始めた。

2015年に市議会は新しい公園基本計画の策定に合意し、公的財源をより公平に配分する第一歩を踏み出した。

2016年にBHCは新しいスケートボード公園の建設を支援し、フレズノ教育学区は16校の校庭を放課後に開放することを決定した。

2018年にフレズノ市議会は18エーカー（約7万3000平方メートル）の土地を巨大なサッカー公園にする法案を承認した。

フレズノＢＨＣが勝ち取ったもうひとつの変革は、州が運営する「革新的な気候コミュニティ」（ＴＣＣ）というプログラムから生まれた。

カリフォルニア州の温室効果ガス削減計画の下で、企業は温室効果ガス排出取引法の一環として大気汚染ガスの排出権を売買することができ、その収益は大気汚染の被害が最も深刻な地域にＴＣＣ補助金というかたちで再配分される。

カリフォルニア州はフレズノに７０００万ドルを配分することに合意したが、その用途をめぐって論争が起こった。

「市はこの資金を、州内で着工中のフレズノ発の高速鉄道線に全額費やすつもりでした」と、元州議会議員でカリフォルニア基金の広報責任者サラ・レイズは言う。「地域社会は反対しました。『いいえ、そのお金は最も汚染がひどく最も虐げられた地域に配分されるべきです。お金を全額取り上げようったって、そうはいきませんよ』と」

フレズノＢＨＣは公開討論を行い、代案を立てた。

長い政治的闘いの末に、資金の半分以上が南西フレズノとチャイナタウンに配分し直された。そしてそのうち１６５０万ドルがフレズノ市立大学の衛星キャンパスに、５４０万ドルが公園の建設に投じられたのだ。

＊　この研究を共有してくれ、#OneHealthyFresno の活動を続けているフレズノＢＨＣに感謝する。

「長期的な思考」で行動する

力を手にした人々が政策を勝ち取り、環境が改善される。フレズノではシステムが変わりつつある。

2019年4月のこと、僕は掲載を拒否された広告の前で記者会見を行った活動家のサンドラ・セレドンと一日を過ごした。彼女の紹介で、地域社会をつくりかえようとしている地元のリーダーたちと知り合った。

公立学校から2キロと離れていない場所にあった有毒な精製工場の移転を勝ち取った弁護士。調査データを収集して、低所得者の足である市バスのルート変更にこぎ着けた10代の若者たち。立場が弱く当局に苦情を申し立てられない合法・違法移民に害虫やカビだらけの住宅を貸すスラム街の悪徳家主への規制強化を求める活動家たち。

フレズノのケンブリッジ高校で学ぶ、キーショーン・ワイトにも会った。

彼は空気の質をリアルタイムで測定し表示するアプリを開発して、学区内の全学校に空気汚染濃度測定器を導入することをめざしている。

「地域の大気の状況や、汚れた空気が健康におよぼす長期的な悪影響を、地元の住民に知らせているんです」と、ワイトは地元紙フレズノビーで語っている。ワイト自身も、南西フレズノのような大気汚染地域に多い、ぜんそく患者だ。

BHCは、フレズノのような地域でも政策を勝ち取り、環境を改善していけることを証明した。2010年から2018年までの間に14地区で321の政策を勝ち取り、451の制度変更を実現させた。これも「力」のたまものである。

「法律とは、力を持つ人々の意見をもとに決められた規則です」とアイトンは言う。「**規則を変えるには、力を集める必要があるんです**」

こうした取り組みが積み重なれば、地域社会の健康は改善するだろうか?

そう、あくまで最終目標は、あのとてつもない寿命格差を埋めることにある。

答えはまだわからない。この壊れたシステムができるまでには何十年、何百年もの歳月がかかった。直すのにも何十年とかかるだろう。

ほとんどの組織は数十年のスパンで計画を立てたりしない。基金は数年単位の計画に資金を提供し、平均するとNPOの職員の5人に1人が毎年辞めていく。

だがサンドラ・セレドンのような人たちは長丁場の戦いをしている。

「アメリカ人がメディケア〔高齢者・障害者向け公的医療保険制度〕を得るまでに50年かかりました」とセレドンは言う。「運動を始めた人たちと、やり遂げた人たちの顔ぶれは違っていました。私たちも、おそらくこの運動の結果を見届けることはないでしょう」

変革の恩恵にあずかるのが自分の子や孫の世代だということを、セレドンは知っている。

システム変革は、組織や社会などどんな規模で行われるものであれ、時間がかかる。だが人々の人生の成功率を高めるには、システム変革が頼みの綱だ。

セレドンをはじめ数百人のリーダーたちは、早すぎる死を招くシステムを一掃して、人々にいまよりずっと高い確率で機会と健康を与える新しいシステムに取り替えることをめざしている。

CHAPTER

7

「テコの支点」はどこにある？

――問題に寄り添う

古代ギリシアの博学者アルキメデスは言った。「われに十分な長さのテコとそれを置く支点を与えよ。されば地球をも動かしてみせよう」。いまも変革者の心を奮い立たせる名言である。だが改めて考えてみると、「十分な長さのテコと支点を与えよ」というのはとんでもなく大きな要求だ。アルキメデスは、要はこう言っているのだ。**「私が世界を動かしやすいようにシステムを変えてくれれば、世界を動かしてみせよう！」**と。

そんな言葉では、マグカップに印刷されるはずもない。*

* これは不当な非難かもしれない。物理学に当てはめればこのうえない名言だ。悪いのは、この言葉を「自己啓発の名言」に仕立て上げた人たちだ。

複雑なシステムが生み出す問題を防止する取り組みで何より難しいのは、正しい「テコ」とそれを支える「支点」を見つけることだ。

前章では、システムには大きな力と永続性があるため、上流活動は最終的にシステム変革をもたらさなくてはならないと説明した。その一方で、それほどの力と永続性を持つシステムを変革することはとてつもなく難しい。

では、システム変革をめざすには何から始めればいいのか？

下手すれば何十年もかかるかもしれない取り組みの、最初のひと月にやるべきこととは何だろう？

それは、「テコの支点を探す」ことだ。

この章では支点の探し方について考えよう。

合理的な「犯罪対策」とは？

シカゴの犯罪が急増していた2008年のこと、3人の研究者がシカゴ大学犯罪研究所を創設した。シカゴ大学の経済学者で犯罪と銃暴力の専門家イェンス・ラドウィグ、シカゴ大学公共政策学教授のハロルド・ポラック、そして公衆衛生専門家のロゼアンナ・アンダーだ。

彼らがめざしたのは、犯罪対策の根拠となるような科学的エビデンスを政策立案者に提供し、学術研究と公共政策の間の溝を埋めることだった。ひと言で言えば、彼らはテコの支点を探していた。

シカゴ市の犯罪対策に進展が見られないことに、ラドウィグは苛立ちを感じていた。誰もが「答え」を持っていた。学校も、地元のＮＰＯも、政策決定者も、みんな答えを持っていた。だが困ったことに、誰の答えが正しいのか、いや正しい答えがあるのかさえわからなかった。対策を立てようにも、暴力事件防止にはどのような対策が有効かという、科学的エビデンスがほとんどなかったのだ。

ラドウィグによると、市の高官や研究者とシカゴの暴力事件対策について話し合う際、ギャングの活動に重点が置かれることが多かったそうだ。抗争中のギャングが互いの首領を撃ち殺す刑事ドラマのようなシーンがいつも念頭にあったという。

その観点に立てば、暴力は金と権力をめぐるギャング同士の抗争から生まれる、意図的で戦略的な営みにさえ見えた。だが犯罪研究所の創設者の３人は、その「常識」を検証しようとした（上流リーダーは常識に注意すべし。人はエビデンスの代わりに常識を根拠にしてしまうことがある）。

ポラック、ラドウィグ、アンダーの３人の研究者は、若者が犠牲となった２００件の殺害事件の検死報告書をくわしく調べた。「戦略的」なギャングの犯罪も散見されたが、それよりも、彼らが予想もしなかったパターンを経て殺人に至ることの方が多かった。

典型例を紹介しよう。真っ昼間に2つのティーンの集団が、自転車を盗んだ、盗んでいないで揉めていた。口論は激化し、疑いをかけられた男子が背を向けて立ち去ろうとすると、別の男子が馬鹿にするなと言って、いきなり銃を取り出してその子の背中を撃った。

別の事件では、バスケットボールをしていた2人の若者が判定をめぐって口論になり、1人が凶器を取りに走り、相手を殺した。

こういった事件はギャングとは何の関係もなかった。暴力に戦略などなかった。不慮の殺人だった。また、ごくありふれた状況で起こっていた。この世に10代の少年がいる限り、自転車やバスケットボールなどのささいなことをめぐるケンカは尽きない。だがシカゴでは、そんな少年たちが銃を使用でき、実際に使用した。

「報告を読むと、『こんなささいなことで殺されたのか』と驚くことが多いんです」

と公共政策学教授のポラックは語る。ポラックは自身の研究をもとに、暴力死の経緯を説明する新しい方程式を編み出した。

「われわれは〔数理的アプローチで有名な〕シカゴ大学として、『こうすればああなる』という方程式を示すよう求められます。私の基本方程式は、『**若者2人+衝動(+酒?)+銃=死体**』です」

方程式の一つひとつの項が、支点になり得る——若者の衝動を抑える、酒の量を減らす、銃規制を強化する。

次に、「これらのどれかを達成できそうな介入方法はないだろうか？」と考えた。犯罪研究所は、青少年の暴力を減らすためのアイデアを募集する「イノベーション・チャレンジ」を実施した。

これに応募したNPOのユースガイダンスが、一見暴力とは関係なさそうな興味深いアイデアを提案した。その名も「一人前になる（ビカミング・ア・マン）（BAM）」だ。

「誠実に生きる」とはどういうことか？

このBAMという活動はこのころ、カリスマ的な創始者アンソニー・ラミレス＝ディヴィットリオ、通称トニーDあってのものだった。

トニーDはシカゴ南西部で育った。

「私は逆境に負けずに育ちました」と、フォーブス誌に語っている。「母は離婚して5人の子を抱え、生活保護を受けていました。近所や家で多くの暴力を見てきました。兄がコカインで興奮して窓を蹴破ったり、母が兄を怒鳴りつけたり、兄が逮捕されたり。救いは母でした。人を大事にしなさい、人に優しくしなさいという美しい価値観で育ててくれました」

トニーDは一族で初めて大学に進学し、心理学に魅せられ、この分野で学士号と、のちに修士号を取得した。だがそれよりずっと大事なことを人から学んだ。

23歳のとき初めて心の師となる男性に出会った。彼は武道家で、君ならできるといつも励まし、自信を持たせてくれた。「それまでは、125キロのベンチプレスを上げマリファナを3本吸って夜通し起きていられるのが一人前だと思っていました。でも先生は、自分を追い込め、集中せよ、努力せよと教えてくれたんです」

トニーDは師を得て、心にぽっかり空いていた穴を埋めることができた。そのときから、自分は何のために生きるのだろう、自分は何者なのだろうと思索するようになった。

彼は人生の大きな問いに正面から向き合う男たちの輪の中に入っていった。一人前になるとはどういうことなのか？　子ども時代に負った心の傷をどうやって乗り越えるか？　誠実に生きるとはどういうことか？

こうした自分探しの時期を経て、彼は明確な目的意識を持つようになった。

自分が助けられたように若い男性を助け、シカゴの最貧地区で父親不在の悪循環を断ち切る手伝いをしよう。トニーDはユースガイダンスに雇われ、シカゴの高校で進路指導を始めた。

与えられた仕事は、履歴書の書き方を教え、就職に必要なスキルの習得を手助けすることだったが、ただ進路指導を行うだけでは満足できなかった。

トニーDは男子生徒を集めて座談会を開くようになった。何をエサに？　毎週1コマ授業をサボれることだ。最初の座談会では自己紹介を兼ねてちょっとしたゲームを行い、生徒たちを笑わせて打ち解けた雰囲気をつくった。

たとえば「拳（フィスト）」というゲームがあった。2人でペアを組み、1人が持っているボールをもう1人が30秒以内に奪わなくてはならない。2人でボールを取り合い、30秒後に役割を交代して、第2ラウンドのどたばたが始まる。

それが終わると、トニーDは指摘する。**誰もボールをくれとは言わなかったんだね**、と。生徒が口々に、「言っても渡さないだろ！」「意気地なしだと思われる」などと言うと、トニーDはたたみかける。

「もしも『ボールをください』と丁寧に言われたらどうしたかな？」

すると多くの生徒が、「渡したかもしれない。ただのボールじゃないか」と認めるのだ。

「怒り」をコントロールする

トニーDは座談会の初めに「現状確認」を行うことを習慣にした。

8人から10人ほどの男子生徒を輪になって座らせ、その日の体調や気分、考えたこと、感じたことを簡単に話してもらうのだ。

最初生徒は話すのを嫌がり、何の意味があるのかと反発するが、ひと言でいいからとトニーDは促す。最悪だ、悲しい、うれしい、なんでもいいぞ。

生徒たちはやがて、座談会が自分の問題を打ち明けたり、痛みや怒りを話したりできる安全な場だと感じ、心を開き始めた。そして学期が終わるころには、この時間を心待ちにするようになった。学校で過ごす一日のうちで、警戒を緩めてありのままの自分になれる唯一の時間だった。

ある男子生徒は、ＢＡＭを調査する研究者に打ち明けた。

「ただみんなで座って話し合えるのがいい……なんか落ち着くんだよね」

座談会で繰り返し話し合われたテーマは、怒りのコントロールだった。君たちは怒りに任せて「野蛮人」になることもできるし、怒りを利用して「戦士」になることもできる、とトニーDは説いた。怒りは破壊的な力にすることも、建設的な力にすることもできる。どちらにするかを決めるのは、君たち自身だ。

トニーDの道徳指導は生徒の胸にしみ込んでいったようだ。

ある男子生徒は、ＢＡＭで学んだ方法を実際に活かしていると言った。「課題の提出が1日か2日遅れて、先生に受け取ってもらえなかった。でもキレて騒ぎ立てる代わりに、仕方がないと受け入れることができた」。そうして教師と話し合いを続け、成績を上げるために何かできることはないかと訊ねた。とうとう、減点はあったが課題を受け取ってもらえた。「もしカッとなっていたら、退学処分になるか、成績がもっと下がっていたと思う」と生徒は言う。

トニーDは長年かけて座談会の進め方に工夫を凝らしていった。そして依存症の自助グループのような自分をさらけ出す側面と、男兄弟的な叱咤激励の側面、考え方のクセを見直すことによって行動の改善を図ろうとする認知行動療法的な側面を組み合わせた、すばらしい手法をつくりあげた。

また、BAMの活動は楽しくクールでなければならないと、トニーDは考えていた。どの男子が、ダサい「心理セラピー」や「自助グループ」に自分から参加しようと考えるだろう。

こうした条件の釣り合いを取るのは難しかったが、トニーDのやり方は受け入れられたようだった。BAMへの参加希望者は後を絶たなかった。

「ランダム化比較試験」で検証する

犯罪研究所の研究者は、ユースガイダンスのトニーDたちから送られてきた、BAMのプログラムを説明した提案書を読んで、検死報告書から得た気づきを活かせそうだと考えた。

認知行動療法と怒りのコントロールを取り入れたBAMは、若者の衝動を抑える「支点」になるのではないか（ハロルド・ポラックの暴力の方程式、「若者2人＋衝動（＋酒？）＋銃＝死体」を思い出してほしい）。

BAMのプログラムによって、カッとなる若者たちを鎮めたり、気をそらしたりすることができれば、バスケットボール中の口論が殺人に発展するような事態を防げるのではないだろうか。

2009年5月、ユースガイダンスは犯罪研究所の「イノベーション・チャレンジ」に選ばれ、活動を18校に拡大するための資金を与えられた。資金提供の条件の1つとして、BAMはランダム化比較試験*による検証を受けることになった。BAMには暴力行為による逮捕を減らす効果があるだろうか？

ユースガイダンスは、この条件を受け入れることでリスクを取ることになった。

一般に、社会科学分野のランダム化比較試験で目立った結果が得られる確率はかなり低い。それも当然で、この分野の介入は、複雑きわまりない人間の生活のなかのたった1つか2つの変数に働きかけるにすぎないからだ。

そのうえ、万一ＢＡＭが有効でないという結果が出た場合、ユースガイダンスへの資金流入が途絶えるおそれがあった。有効性が否定されたプログラムに、むざむざお金を出そうという支援者はいない。

その一方で、検証を受けていない介入になら、好意的な感想が多ければ資金は提供される。社会貢献分野ではこうした事情から、頭を砂に突っ込んで厳しい現実から目をそらそうとする「ダチョウ戦略」を取る組織が多いのだ。

ＢＡＭにとってさらに大きなリスクだったのは、プログラムの規模を拡大する体制が整いもしないうちに拡大をしなければならなかったことだ。

それまでＢＡＭは、いわばトニーＤの独り舞台だった。プログラムは数校で行われているだけだったが、この試験では18校で行わなくてはならない。

心のケア、遊び、自制、愛のムチの要素を絶妙に組み合わせる手法が、トニーＤにしかできないワザだったらどうすればいいのか？

＊　ランダム化比較試験は研究における絶対的な判断基準とされている。たとえば製薬会社は新薬の承認を受けるために、この種の試験を必ず行わなくてはならない。特定の集団、この事例で言えば高校生の男子数百人を集め、介入群（ＢＡＭなどの介入を受けるグループ）と対照群（受けないグループ）にランダムに振り分ける。両群の結果を比較して、有意な差が認められれば、その差が介入によって引き起こされたと合理的に判断できる。対照群がなければ因果関係を突き止めるのは難しい。

「活動」がなかったらどうなっていたか？

ユースガイダンスのチームは数か月かけてプログラムの進行役をもう13人集めた。その間トニーDは、手製の資料をもとに進行役の正式な訓練教材をつくろうと奮闘した。新学期には間に合わず、できた順に進行役に配布した（「次週の授業では、これこれこうしてください」）。

2009年度、ユースガイダンスが参加校に派遣した進行役は、週1回1時間のセッションを27回行った。

感触はよかった。生徒は真面目に出席し、やる気を見せ、よい影響を受けているようだった。意外にも、規模を拡大しても目立った支障はなかった。進行役も週を追うごとに手応えを感じていた。

だが「BAMには逮捕を減らす効果があるか」という肝心な問いの答えはわからなかった。ユースガイダンスは逮捕に関する情報にアクセスできなかったからだ。逮捕率についてはわからない一方、誰かが逮捕されたときはわかるので、目に見える情報はネガティブになりがちだった。

年度が終了し、犯罪研究所がデータ分析を終えるまでの9か月間、ユースガイダンスは悶々と待った。[*] そしてとうとう2011年春、犯罪研究所のハロルド・ポラックがユースガイダンスのチームを集めて結果を報告した。

BAMの参加生徒の逮捕率は、対照群に比べ28%低かった。暴力犯罪での逮捕件数は、対照群の約半数だった（45%少なかった）。説明を聞いたチームは口をあんぐり開けた。ポラックはこう語っている。

「あれは私の仕事人生でも指折りのすばらしい瞬間でした。ユースガイダンスはここまでの好成績は予想もしていませんでした。指導した生徒が撃たれたり、落第したり、逮捕されたりする悲劇ばかりを見ていましたからね。自分たちの活動がなければどうなっていたかを、このとき初めて知ったのです」

問題に寄り添う

BAMのプログラムには10代の男子を緊迫した状況で落ち着かせる効果があると、犯罪研究所の研究者は結論づけた。BAMのおかげで、バスケットボールの判定をめぐる口論は口論のまま終わり、発砲事件に発展することはない。犯罪研究所はポラックの犯罪方程

＊ ちなみにこの調査は、イリノイ州警察がBAMの参加生徒の逮捕記録を犯罪研究所に開示しなければ成り立たなかった。データベースの開示のようなささいな事柄に上流活動が振り回されることが多いのには驚かされる。

式の「衝動」に働きかけるための支点を見つけたのだ（BAMのその後の検証結果については、次ページの注を参照のこと）。*

上流活動のあらゆる側面に、それぞれ固有の「方程式」と固有の「支点」がある。犯罪研究所のリーダーが支点を探すために用いた戦略は、あらゆる側面に通用する普遍的なものだった。それは、「問題に寄り添う」という方法である。

犯罪研究所のリーダーがまず何をしたかを思い出してほしい。**200件の検死報告書をじっくり調べ、親身になって考えた。**暴力が一般に言われているような原因で起こっているとは考えなかった。だから情報源に立ち返った。

これと同じ戦略を用いたのが、北カリフォルニアのパーマネンテ医療グループだ。同グループの品質安全医療責任者アラン・ウィッピーは、多くの患者の死因になっていた医療過誤と感染症を減らそうと決意した。

2008年、ウィッピーは最近死亡した50人の入院患者の事例をくわしく調べるよう、グループ内の病院に求めた。

すると驚いたことに、死亡患者の約3人に1人が、当時彼らがまだほとんど問題視していなかった敗血症で亡くなっていた。この原因に対処したことで、病院の敗血症患者の死亡率は、2011年までに60％低下した。問題に寄り添い、患者の不必要な死を防ぐための支点を発見したのだ。

このように、問題の事後検証が解決の手がかりになることもある。

「疑似体験」をする

命に関わらない問題であれば、「寄り添う」ための方法はほかにもいろいろある。空港や学校などの公共建築物を手がける国際設計事務所コーガンで働く2人の建築家が、高齢者が建物を歩き回るとき、どんな問題に遭遇するだろうと考えた。

この問題に寄り添う方法には何があるだろう?

高齢者に聞き取り調査をする? 高齢者と一緒に建物を歩き回って問題を確認する? 事故報告書を読んで、事故や転倒が起こった状況や場所を調べる?

建築家のマイク・スタイナーとサマンサ・フローレスはさらに一歩踏み込んだ。高齢者の気分を味わうためにつくられた「お年寄り体験スーツ」を着たのだ。

* BAMの第2回調査でも肯定的な結果が出たが、10代の大規模集団を対象とした第3回調査でははっきりした結果が出なかった。これはよく見られる現象だ。初期の試験的取り組みが成功したからといって、そう簡単に規模を拡大できるものではない。このことは社会貢献分野にとっては大きな問題だが、本章の議論にはあまり関係がない。362ページで取り上げたので、興味のある人はそちらを読んでほしい。

「スーツには体の動きを制限するようなベルトやおもりがついていて、老化に伴う体の変化を疑似体験できるようになっているんです」と、スタイナーはラジオ番組「ヒア・アンド・ナウ」で説明した。「ほら、このベルトのせいで、ひじを思うように曲げられません。また年を取ると指先を動かしにくくなりますよね。この手袋は、指先の運動能力の低下を疑似体験するものです」

手足が重くなる感じを手足のおもりで、目と耳が不自由になる感じをゴーグルとヘッドフォンで体験する。足の感覚が衰え、地面がどこかわかりにくくなる感じを体験するために、靴の上からさらに靴を履く。

スタイナーとフローレスはこのスーツを着たまま、ダラス・フォートワース国際空港を歩き回った（出張で利用した経験から言うと、この空港はただいるだけでも疲れて年を取ったような気分にさせられる）。

「まず気がついたのは、どこへ行くにも時間がかかるってことでした」と、フローレスはラジオで言っている。「座って休憩できる場所が絶対に必要でした。だからベンチや手すりを増やすことにしました。一般に、大通路（コンコース）は大勢が行き来できるように幅広くつくります。でもそうするとよろけたときにつかまる場所や、休みたいときに一息つける場所がなくなってしまいます」

傾斜が高齢者を混乱させることもわかった。これから床が上がります、下がりますという目印が必要だった。エスカレーターの乗降口で水平になるステップが2枚だと乗りにくいこともわかった。空港のパブリックスペースには水平部分が3枚のエスカレーターを推奨するようにした。

「効果的なポイント」に的を絞る

問題に寄り添うといっても、具体的に何をどうすればいいのだろう？　テコや支点になりそうなものをどうやって見極めるのか？

有効な支点を探すには、アイスランドのリーダーがやったように、**まず防ごうとしている問題の「危険因子」と「防御因子」を考えるとよいだろう。**

10代のアルコール乱用の防御因子の一つは、ティーンの無為な時間を減らし、自然な興奮状態（ナチュラルハイ）を感じさせる、公式スポーツへの参加だった。

危険因子の一つは親の無関心だった。親が不在がちだと、子どもは問題行動を起こしやすくなる。

どんな問題にも、リスクを高めたり防いだりする要因があり、それらの一つひとつがテコの支点になる可能性を秘めている。

危険因子と防御因子に注目する代わりに、特定の小集団だけに効果のあるテコの支点を考えてもいい。

成功している上流介入の多くが、小集団に的を絞り、コストを惜しみなくかけるプログラムだ。

少人数に多額のコストをかけるのは、一見望ましくないようにも思える。なぜそんなやり方をするのだろう?

それは、**ごく少数の人たちがシステムに過度の負担をかけている場合が多い**からだ。

一例として、犯罪研究所は「銃暴力関与」リスク、つまり銃による暴力犯罪で逮捕されるか、その犠牲になるリスクが最も高い5000人を、独自開発のモデルを用いて選び出した。*

5000人といえば、シカゴ市の総人口の0・2%ほどでしかない。だが1年後にシカゴの殺人事件の被害者を調べたところ、被害者の17%がこの5000人のリストに含まれていた。最もリスクの高い集団は、少人数なのだ。

また犯罪研究所の別の研究では、発砲による傷害が社会におよぼすコストは、1件につき約150万ドルと推定される。

こういった数値を見ると、市は高リスクの小集団を支援し、彼らの将来展望を好転させることに多額のお金を費やすのが理に適(かな)っているとわかる。

犯罪研究所は現在この考えをもとに、再犯リスクの高い、有罪判決を受けた暴力犯罪者に有給の仕事を与え、認知行動療法を実施して、人生をやり直す機会を与えるプログラムを試行している。プログラムにかかる費用は、1人当たり年間2万2000ドルから2万3000ドルである。

上流介入の目的は「節約」ではない

医療では、緊急医療を少数の患者が頻繁に利用する場合があり、なかには年に100回も緊急治療室を訪れる人もいる。

とくに複雑な個人的事情や病歴を持つ人、たとえば住所不定で、糖尿病とぜんそく、慢性疼痛を持つ病的肥満の患者などにこの傾向が強い。

こうした人々を治療するためのコストは、ときに莫大なものになる。そのため住宅支援や在宅医療、世話役のスタッフといった特別仕様の予防プランを提供しても、その分治療コストを抑えることができるなら、医療制度全体としてみれば十分に元が取れる。大きな問題の原因となる小集団を正確に狙い撃ちできる場合、その集団の支援にまとまった金額

＊ なぜ加害者だけでなく、加害者と被害者の両方を対象とするのか？ それは、暴力犯罪の加害者と被害者は重なることが多い、つまり暴力犯罪を犯す人は暴力犯罪の犠牲になることが多いからだ。また（残念ながら）暴力犯罪は未解決に終わることが多いので、加害者より被害者の方が特定しやすいという事情もある。

を投じて問題を予防することは理に適っている。*

テコの支点になり得るものを探すときは、費用と効果について考える必要がある。投資に対して最大の見返りを求めたいのは誰も同じだ。しかし、「コスパのよさ」はたしかに重要だが、別の有害な考えとけっして混同してはいけない。

上流介入に関する最も不可解かつ最も有害な考えは、「予防のための取り組みは節約にならなければ行う意味がない」という決めつけだ。

上流介入に関する議論は、「投資収益率」にとかく終始しがちだ。

今日投資する1ドルは、長期的により大きな利益を生むだろうか？　ホームレスに住宅を提供すれば、将来的に社会福祉支出が減って節約になるのか？　ぜんそくの子どもたちにエアコンを提供すれば、緊急治療室の患者数が減って節約につながるのか？

こういったことを考えるのは無意味ではないが、それが絶対的な判断基準になってはいけない。

医療においては、「節約」になるかどうかという視点で施策の是非を考慮するのは予防医療だけだ。ベーコンしか食べない猛者でも、いざ心臓バイパス手術が必要になれば、手術を受けるに「値する」人物かどうかとか、医療制度全体で見て手術が節約になるかなどは問題にならない。必要になれば処置を受けられる。

だが子どもを飢えから救うという話になったとたん、その取り組みは節約につながらなくてはいけないと考える。なんて馬鹿げた話だろう。

ホームレスの人々に住まいを提供し、病気を予防し、飢えた人々に食事を与えるのは、経済的に正しいからではなく、倫理的に正しいからだ。下流介入にはけっして課さないような条件を課して、上流介入を妨げるようなことがあってはならない。

わかっていても上流に行けない

医療業界では、住宅から治安、空気の質までの、人々の健康に影響を与えるさまざまな環境条件、いわゆる「健康の社会的決定要因」をめぐる議論が広く行われている。

このテーマで討論が行われない医療関係の会議はないほどだ。

このこと自体は、健康に対する世間の関心が上流に向かっていることを示しているので、朗報と言える。ただ1つ難点があるとしたら、そのネーミングだろう。「健康の社会的決定要因」は、この問題に関心を持つなと言わんばかりの、味も素っ気もない呼び方だ。デ

* ちなみに、その正反対のケース、つまり少人数が莫大な利益をもたらす場合もある。ラスベガスで無謀な賭けをする人たちを考えてみよう。莫大なお金を落としてくれる人たちに、至れり尽くせりのサービスやすばらしい特典を提供しても、カジノとしては十分元が取れる。喜んで何百万ドルも落としてくれる上客以上に大切な客がいるだろうか？

ートを「下心のある対人交渉」と呼ぶようなものだ。

現代は医療にとってわくわくするような時代だ。人々が「問題盲」から目覚め始めているのが感じられる。

「医師は治療と診察だけやっていればいいと、昔から教えられてきました」と言うのは、ニュージャージー州の医療グループ、ハッケンサック・メリディアン・ヘルスの総合診療医カーメラ・ロケッティ博士だ。「医師は診療室に入ってきた患者を健康にしようとします。処方箋を書き、患者に健康を取り戻させます。でもそれは健康の方程式のいちばん小さな部分でしかありません。健康を大きく改善するには、患者の家の冷蔵庫の中身を知り、睡眠状況を訊ね、どんな慢性的ストレスにさらされているのかを調べ、総合的に対処することが欠かせません」

この考え方は急速に広まり、健康に影響をおよぼす上流要因の重要性が認識されつつある。だが**上流介入を阻む行動障壁も、うんざりするほどたくさんある。**

たとえば、健康的な食品を手に入れられない患者を、医師はどうやって支援すればいいのか？　患者が非常なストレスを感じている場合はどうか？

とくに、アメリカの出来高払いの診療報酬体系では、患者の健康管理に時間をかけると医師の収入が減ってしまう。患者の健康管理を指導すべきとはわかっていても、ストレスや孤独に悩む患者と15分余計に話しただけでは、健康管理のうちに入らない（第11章で、予防医療を促す、新しい診療報酬体系について考える)。

僕は医療関係者のこういったジレンマや板挟みを数え切れないほど見聞きしてきた。一方では、上流へ向かおうというはっきりした意気込みが感じられる。そうすることが正しいと、大部分とはいかないまでも多くのリーダーが心から信じている。他方、患者を健康にするために必要な上流活動を背負い込みたくない気持ちもわかる。そうした活動は医療制度の手がおよばない領域にある。

そこでリーダーたちは、医療制度の中の変化としては小さくても、実質的にはインパクトの大きなテコの支点を探そうとしている。

たとえば最近の総合診療医は、患者に食べものに困っていないかどうかを訊ね、困っている患者に地元のフードバンクなどを紹介することも多い。医療制度の外へ手を伸ばし、支援を提供できるほかの関係者と力を合わせることで、患者を助けているのだ。

「現場」で問題を実感する

だが、医療制度の内側から変革を起こすことはできないだろうか？

医師は訓練や報酬体系によって下流に向かうよう促されているため、上流活動を不自然に感じることが多い。これを自然に感じられるようにできないだろうか?

ニュージャージー州のシートンホール大学に新設されたハッケンサック・メリディアン医学校が、この構想を実行に移し、医師の訓練方法を変えようとしている。同校のカリキュラムの核にあるのが、「健康の社会的決定要因」である。

学生は入学すると近隣地域の個人や家族を割り当てられる。初年度は担当する家族を1、2か月ごとに訪ね、家族の暮らしぶりや健康状態を知る。

まだ1年生の医者の卵だからもちろん治療をするわけではない。患者に健康関連の目標を立ててもらい、それを実現するための手伝いをするのだ。たとえば「自閉症の息子の治療に必要な支援を得たい」「車いすで独り暮らしをしていて気分が落ち込みがちだから、社会との接点がほしい」など。

「学生に何かを指示したり、講義で教えたりすることはできますが、そうしたことが患者にとってどういう意味を持つかは、**生身の患者と実際に接し、親身にならない限りわからないい**んです」と前述の総合診療医で、この「人間的側面」と呼ばれるプログラムの責任者を務めるロケッティ博士は言う。

医学校の第一期生アーミラ・マカッチェンは、介護施設に暮らす91歳の男性を同級生と2人で担当した。初めて男性に会いにいったときは緊張したという。おとなしいマカッチエンは、男性に聞こえるように大声で話すと怒鳴っているような気がした。

どんな目標のお手伝いができますかと訊ねると、男性は「私は91歳だ、目標なんてないね」と言いながらも、2つの目標を教えてくれた。パソコンを使えるようになることと、忘れっぽいのをどうにかすることだ。マカッチェンらは次の訪問で、介護施設のパソコンで記憶ゲームをする方法を教えた。

別の学生のペアが担当した男性は、管理不良の糖尿病患者だった（つまり血糖値のコントロールができていなかった。血糖値は一般に、定期検査と食事管理、適量のインスリン投与でコントロールできる）。

男性は知識豊富で治療にも積極的だったので、学生たちはなぜそんなに状態が悪いのだろうと不思議に思った。

あるときその患者を訪問中に隣人がやってきて、「いまから買い物に行くけど、買い物リストはある？」と訊ねた。これを聞いてようやく謎が解けた。男性は自分で食料品店に行けず、買い物を隣人に頼っていたため、症状の管理に役立つ生鮮食料品などを買ってほしいとは頼みづらかったのだ。

「不毛な会合」に参加すべき理由

医学生はこの取り組みの一環として、地元のNPOのリーダーと話し合い、公開討論に参加し、奉仕活動を手伝うなど、特定の患者だけでなく、地域社会全体と関わりを持つ。「コースの計画を立て始めたころ、何の計画ですか？　とよく訊かれました。医学校なのか、社会福祉の学校なのかわからないと」とロケッティは言う。

医学校は2018年夏に開校した。学生は当初ありあまるほどのやる気を持っていた。最初の数週間は、地域社会の問題を解決するための計画をロケッティに見せにくる学生もいた。

だが学年も中盤にさしかかると、試験や口頭試問の準備という現実が理想を揺るがし始めた。医学生は優等生、それも能力主義社会の超エリートだ。テストで満点を叩き出すばらしい論文を書くのは得意だ。しかし孤独な老婦人を支えるという課題で「高得点」を取る方法は知らなかった。

そのうち反発する学生も出てきた。あるとき数人の学生が地元の教育委員会の会合に参加することになった。だが、会合開始から45分間が突然非公開で行われることになり、学生たちは参加できず、ただ待たされるはめになった。しかもその後の公開会合も、教師と委員会が契約をめぐって言い争うだけで終わった。学生たちは憤慨して、ロケッティにメールで抗議した。

「なぜ不毛な会合で時間を無駄にしなくてはいけないのですか?」

そんなことのために医学部に入ったのではない、というのだ。

だがある意味では、学生たちが医学部に入った目的はまさにそこにあった。

ロケッティの考えでは、医師の使命は人々を健康にすることであり、**そのためには医療の技術的側面だけでなく、社会的側面を理解することが欠かせない**。人々の生活や、彼らを取り巻く複雑な社会の成り立ちを肌で知るということだ。

「診察室に時間通りに来る」ような簡単なことでさえ、いろいろな事情でできないことがある。市バスが遅れる、悪天候でバス停まで歩けない、車で来たが駐車料金が払えない、パソコンを持っていないから行き方が書かれたメールを開けない、あるいは気分が悪く診察室まで出向く気になれないといったこともあるだろう。

いろいろ大変なのはわかるが、健康が大事なら時間通り診察に来て、インスリン注射を受け、処方薬を補充しなくては、と決めつけようとして、ふと思い出す。あの教育委員会の2時間の不毛な会合のことや、隣人に食料品の買い物を頼んでいた男性のことを。

そして深呼吸をして、自分に言い聞かせるのだ。簡単なことなんて何もない。世の中は複雑で、何事も一筋縄にはいかない。だが、もし腕組みをほどいて手をさしのべたら、人々の苦しみを見過ごさずに、和らげてあげられるかもしれない、と。

「失敗」も前進になる

医学校の開校初年度が終了した2019年の晩春には、学生たちは熱意を取り戻していた。担当した家族や地域の人たちと過ごした時間は貴重だったと、口々に報告した。

彼らは医学部でさらに2年間、地域社会や住民と関わりを持ち続け、卒業後は一般的な医師とはまったく違う視点を持つようになるだろう。そして多くの医師がニュージャージー州にとどまり、メリディアン・ヘルスの病院で働くことになるだろう。

彼らが医療制度を内側から変革していくとロケッティは信じている。「学生は成長して、医療業界の文化を変革する原動力になってくれるでしょう」

未来の医師たちが病気と絶望の原因に寄り添って対処すれば、きっと健康をもたらすテコの支点を見つけられるはずだと、学校は信じている。

ニューヨーク大学ロースクール教授、著作家で、NPO「公平な正義推進計画」を創設したブライアン・スティーヴンソンは、これを「**歩み寄りの力**」と呼ぶ。

「地域や社会、国家、そして経済を健康にするには、貧しく弱い立場にある人たちに歩み寄る方法を探さなくてはなりません」と、スティーヴンソンはフォーチュン誌主催の20

18年CEOイニシアティブ会議で語った。「こうした問題から距離を置き、立場が弱く恵まれない人たちから隠れ、彼らとの関わりを絶てば、問題の存続を許し、助長することになります。歩み寄ることによって、世界を変える方法について何かしら学べるはずだと、私は思うのです」

歩み寄りが問題を解決するとは限らない。歩み寄りは始まりであって終わりではない。上流の変革活動では、どんな状況で何がうまくいき、何がうまくいかないのかを見極めながら、手探りで前進せざるを得ない場合が多い。

だがこの文脈で考えるなら、失敗でさえ勝利になる。何かを学ぶたび、地図に欠けていたピースを発見し、世界を動かせるテコを見つけていくことができるのだから。

CHAPTER 8

問題の「早期警報」を得るには？

――価値の大きい警報を見抜く

ロリ・サクシーナは2010年末にリンクトインに採用され、採用担当者向け主力製品を担当する顧客成功部門の責任者として働き始めた（「顧客成功」とは「顧客サービス」の上流版のようなもので、製品・サービスの購入後も顧客の満足度を維持する仕事をいう）。この製品は企業の人材の発掘と採用を助けるツールで、サブスクリプション方式で提供された。

とてもよく売れたが、解約率も高かった。解約率とはサービスを更新しない顧客の割合をいい、ネットフリックスからピープル誌までのあらゆるサブスクリプション型ビジネスの健全性を測る重要な指標である。サクシーナが入社した時点の解約率は約30％で、毎年顧客10人中約3人がツールの利用を停止していたことになる。

従来リンクトインは解約を防ぐための対策として、毎年の更新時期になると、解約する可能性がとくに高い顧客のサポートに力を入れていた。取引先を「死守する」ことに重点が置かれていたのだ。

だがサクシーナの上司の営業部長ダン・シャピロは、「**解約しそうな顧客をもっと早く特定できないだろうか？**」と考え始めた。解約リスクを早く見抜き、何らかの対策を講じることができれば、解約率を下げられるかもしれない。

価値ある「早期警報」とは？

データを分析してみると、早ければサービス申し込みの30日後に、どの顧客が解約するかしないかを合理的に予測できることがわかった。

なぜそんなに早く？　ツールの利用状況と解約率の間には、強い逆相関があった。つまり、人材採用活動でツールを頻繁に利用する顧客は、契約を更新する可能性が高かった。

このこと自体は驚きでも何でもない（雑誌の購読を解約する可能性が最も高いのは、その雑誌を読んでいない人だ）。むしろ大きな発見は、「顧客にできるだけ早くツールを使い始めてもらうのがカギ」ということにあった。

「申し込み後30日以内にツールを使い始めた顧客は、そのままツールを使い続ける確率が

4倍も高かったんです」とサクシーナは説明する。

「驚きましたね」とシャピロは言った。「そこでこう考えたんです。よし、これまで顧客を『死守する』ために使っていた人手や資金を総動員して、顧客に使い方をきちんと教え、ツールに慣れてもらおうじゃないか、と」

新たに「手ほどき担当者」を設け、顧客にツールの使い方を電話で教えることにした。と言っても、よくある退屈なソフトウェアの操作訓練をするのではない。顧客の仕事の一部を肩代わりしたのだ。

たとえばこんな電話をかけた。

「ソフトウェア開発者をアトランタで探されているんですね。ご要件に合う人材を見つけやすいように、私の方で検索条件を絞り込んでみました。必要に応じて検索条件を調整する方法をご説明します。有望な候補者が見つかったら、次に〈インメール〉サービスを使って連絡を取りましょう。先日お教えした、〈候補者から返信を得やすい文例〉を使って見本メールを作成しましたのでご覧ください」

解約率は2年と経たずに半減し、売上は激増した。成功を導いた重要なカギの1つが、「手ほどき」の取り組みだった。解約率の低下は、年間数千万ドルの利益につながった。

問題を早く予見できれば、その分対処する時間的余裕が増える。だからこそ上流活動では、「解決すべき問題の早期警報を得るにはどうするか」を考えなくてはならない。この問題専用の煙感知器のようなものをつくるのだ。

リンクトインで警報を作動させた「煙」は、サービス申し込み後1か月間利用がないことだった。シカゴ学区の「煙」は、高校1年生時の脱線だった。

ただし、すべての早期警報に価値があるわけではない。**警報の価値は、その問題がどれだけ重大かによって決まる**。枕元の電灯が切れそうだという早期警報はたぶん必要ないし、ほしいとも思わない（逆に、灯台のてっぺんの電球切れを知らせる早期警報は価値が高い）。

また警報の価値は、十分な対応時間が取れるかどうかによっても決まる。タイヤのパンクを30秒前に検知できれば命が助かるかもしれないが、0・5秒前にわかっても何にもならない。

「パターン」から問題を予測する

リンクトインの事例のように、過去のパターンから問題を予見できることもある。この手法を取った組織の1つに、ニューヨーク市と周辺地域で病院や医療施設を運営する、ノースウェル・ヘルスがある。

ノースウェルの緊急医療サービス（EMS）部門は、生死に関わる業務上の難問に取り組んでいる。住民から９１１番通報〔警察・救急等緊急通報〕を受けたら、できるだけ早く救急車を派遣しなくてはならない。そこで過去のデータをもとに、９１１番通報が発生する時間帯と場所を予測する精巧なモデルを開発した。

「なにも水晶玉で緊急事態を予知するわけじゃありません。過去のデータから、住民の行動を予測するんです」と、ノースウェルのＥＭＳセンター部長補佐のジョナサン・ワシュコは言う。

緊急事態の発生には予測可能なパターンが見られた。

パターンには時間的なもの（夜間より日中の方が発生しやすい、など）と、地理的なもの（若者の多い地域より高齢者の多い地域の方が発生しやすい、など）がある。

建国記念日と元日の夜は通報が増える（酔っ払いの馬鹿騒ぎ）が、クリスマスと感謝祭の夜は減る（愛情の要素が関係するからなのか、静かに飲むからなのかは不明）。金曜と土曜の夜は忙しく、日曜は暇だ。インフルエンザの流行期は大忙しだ。

そのほかにも、細かいパターンがいろいろある。

不思議なことに、介護施設の食事時には通報が急増する。食事がそんなにひどいのか？と思うかもしれないが、そうではない。介護士は食事時に患者の様子を必ず確認するから、問題に気づくことが多いのだ。同じ理由から、介護士のシフト交代の時間にも通報は急増する。

またパターンは天候によっても異なる。ワシュコによれば、大雪が降ると雪かきに熱中して心臓発作を起こす人が増えるという。

「前方展開」で問題を防ぐ

ノースウェルはこの予測分析をどう活用して、救急車の現場到着時間を短縮しているのだろう？

分析をもとに、救急車を市内全域に「前方展開」しているのだ。たとえば、介護施設から車ですぐのマクドナルドの駐車場に救急車を停め、救急隊員を待機させておくなど。介護施設からまだ通報はないが、通報が来る可能性が高い。そうなれば、すぐに駆けつけられるというわけだ。

これは通常のやり方とはまったく違う。アメリカのほとんどの地域では、救急業務は消防が行う。救急車は地域の消防署に配備され、911番通報を受けると救急救命士や救急隊員が乗り込んで救助に向かう。これは事後対応システムだ。このシステムは思いもよらない影響をおよぼしている。心不全を起こした人の生死は、文字通り家から消防署までの距離によって決まるかもしれないのだ（消防署に近いことが不動産物件のウリになるかもしれない。「1階に主寝室、そして消防署から車でわずか3分！」）。

これに対し、ノースウェルなどが大都市に敷く救急医療体制では、救急車を戦略的に市内に配置して、管轄地域のすべての住民に短時間で到達できるようにしている。

ニューヨーク州ショセットの救急医療指令室には、NASAの宇宙管制室に似た部屋がある。壁いっぱいの大画面モニターに、ノースウェル救急医療体制の管轄地域の地図が映し出されているのだ。すべての救急車の現在地が地図上にピン表示され、それらを中心とする円が、10分以内に到着できるエリアを示している。

緊急通報があると、通報地点に最も近い救急車が派遣される。すると、その近辺のほかの救急車が配置を臨機応変に変えて、出払った救急車の穴を埋める。

この信じがたいほど高度なシステムは絶大な効果を挙げている。ノースウェルの救急車の現場到着時間は平均6・5分と、全国平均の8分を大幅に下回る。

ノースウェルはこのすばやい対応のおかげで、心不全を起こした人が有効な処置によって心拍を再開するまでの時間を示すROSC（心拍再開）の指標で好成績を上げている。治療への満足度も高く、患者の94％がノースウェル・ヘルスを人に勧めると答えている。

早期検知が「競争力」をもたらす

これが典型的な早期警報の物語だ。データのおかげで、見えていなかった問題（食事時に介護施設の近くに救急車を配備する必要性など）に気づくことができる。**この予測能力が、問題の防止策を取る時間的猶予を与えてくれる。**ノースウェルの救急隊員は心不全を防ぐことはできないが、心不全を起こした人の死を防ぐことはできるのだ。

ノースウェルの問題は1分を争うような問題だ。1秒を争う問題を見てみよう。

危機管理専門家アレックス・グリーヤー教授の2012年の論文によると、日本には世界最高の地震の早期検知システムがある。全国の観測点に配置された、3200超の地震計と震度計から情報を収集して、人間がほとんど感じない「P波」という地震発生を知らせる最初の早期警報を検知できるという。

このシステムは2011年に日本の国民を助けた。グリーヤーはこう書いている。

「現地時間午後2時46分45秒、2011年東日本大地震のP波が到達すると、最も近い内陸観測点がそれを検知し、わずか3秒後（午後2時46分48秒）にシステムから主要な企業や鉄道会社、工場、病院、学校、原子力発電所、一般市民の携帯電話に警報が送られた」

3秒だ！　警報発信の約30秒後に仙台で、また仙台から約60秒遅れて東京で、地面が揺れ始めた。

「大した時間ではないように思えるかもしれないが、これだけの猶予があれば、企業は生産ラインを止め、医師は処置を中断し、学校は生徒を机の下に潜らせ、運転手は車を路肩に寄せることができる。予備の発電機を起動させたり、列車を停止させることもできる」

早期検知システムは、企業の競争力向上に役立つこともある。

IBMのこんなテレビCMを知っているだろうか。保守点検の作業員が歩いてきて、オフィスビルの受付の警備員に話しかける。

作業員：どうも。
警備員：入館証は。
作業員：エレベーターを直しにきました。
警備員：エレベーターはどこも壊れてないよ。
作業員：ええ。
警備員：なのに直すと？
作業員：そうです。
警備員：誰の指示で？
作業員：新しい人です。
警備員：どの新しい人？
作業員：ワトソンです。

警備員は作業員の視線をたどって、テーブルの上の黒いコンピュータ（ワトソン）を見やる。

ワトソン：（理知的な声で）センサーと保守管理データは、3番エレベーターが2日以内に故障することを示しています。

作業員：ほうらね。

警備員：でも入館証。

これは絵空事ではない。[*] 最近の大手エレベーター会社の〝スマート〟エレベーターは、照明や音、速度、温度などの診断データをクラウドに送り、そこでデータが分析され、さまざまな問題がいち早く検知されている。

人間も「最高のセンサー」になる

「クラウドへのネット接続がすばらしいのは、問題が起こりそうな兆候を事前に検知できることです」と、ワトソンのIoT技術専門員ジョン・マクラウドが、コンピュータワー

＊ ワトソンの変貌ぶりには驚かされる。2011年にクイズ番組「ジョパディ！」でチャンピオンを破って優勝したコンピュータから、いまではあらゆるオフィスビルに設置され人知れず予測を行う黒い箱にまで進化した。

ルド誌に語っている。「たとえばエレベーターの自動ドアが、普通は5秒で閉まるところを、やがて5・1秒、5・2秒とかかるようになったとしましょう。エレベーターを乗り降りする人は気づかなくても、時間が少しずつ延びているのは、何かが粘着していて油を差す必要があるというしるしかもしれません。……それがわかれば、ドアが閉じたままになって閉じ込め事故が起こる前に対策を打てます」

IoTの技術が進むなか、こうした事前警報システムは今後ますます普及するだろう。世界はセンサーだらけになる。不整脈を教えてくれるスマートウォッチに、石油パイプラインの漏れを検知するスマート機器（「スマートピッグ」というおかしな名がついている）、バス運転手の居眠りを警告するスマートビデオカメラ。

先端技術も早期検知に役立つが、機器ではなく人間が最高のセンサーになる場合もある。アメリカ心臓協会は世界中で毎年1600万人に心肺蘇生法の訓練を実施している。**これは心血管の緊急事態を検知できる人間のセンサーを世界中に設置するようなものだ**。そのうえ訓練を受けた人は、ただ問題を検知するだけでなく、対処することもできる（救命装置つきの救急車が到着するまで患者を生かし続けられるかもしれない）。

テロ対策の「何か見かけたら何か言おう」運動も、人力を当てにした早期検知の取り組みの一例だ。

この標語は広告マンのアレン・ケイによって、911テロ攻撃の当日に考案された。「お手本にしたのは、『口が滑ると軍艦が沈む』〔「口は災いのもと」の意〕という言葉でした」とケイはニューヨーク・タイムズに語っている。「といっても、このケースではその正反対を呼びかけているんですがね。口を開いてほしいと。だからそれが伝わる言葉、わっと広まる言葉を考えようと思いました」

いまや誰もがテロ行為の早期警報を発するセンサーなのだ。問題を予知するには、状況を知るための「目と耳」が環境内になくてはならない。だが、得た情報を鵜呑みにしてはいけない。ときには検知したものが、思っていたものと違うこともある。

5年生存率「99・7%」の謎を解く

韓国では2000年代に甲状腺がんと診断される人の数が急増した。甲状腺とは首の正面、のど仏の下の辺にある、蝶が羽を広げたような形をした内分泌器官をいう。2011年の甲状腺がんの発生率は、1993年の15倍にも上った。

国民の健康を脅かす恐ろしい事態だ。がんは感染病ではないから、急速に広がるはずがない。何か奇妙なことが起こっていた。

唯一救いだったのは、韓国の医療機関が甲状腺がん治療ですばらしい実績を挙げていたことだ。韓国の甲状腺がんの5年生存率は99・7%と、世界で最も高かった。このめざましい実績をもとに、韓国は「医療ツーリズム」を推進し、世界中の甲状腺がん患者に、患者生存率が最も高い韓国に治療に訪れるよう呼びかけていたほどだ。

この甲状腺がんの「流行」には謎が2つあった。

「なぜ甲状腺がんが爆発的に増えたのか?」と、**「なぜ韓国の対応は成功していたのか?」**である。

医師でがん研究者のギル・ウェルチは、まったく違う視点から韓国の展開を見ていた。

『『がん』と名のつくものは容赦なく進行すると医学部では教えられていた」と、彼は常識を覆す著書『薬を減らせば健康になる』(未邦訳)の中で書いている。「細胞のDNAが異常を来してがん化すれば、がんが全身に転移して患者の命を奪うのは時間の問題だと考えられていた」

だが近年では、がんに対する医師の考え方は変わってきている。がん患者が死ぬのは「時間の問題だ」などと考える医師はもういない。

ウェルチは、この考え方の変化を説明するために、カメとウサギ、鳥が入ったがんの囲い、というたとえを使う。医療制度がめざすのは、これらの家畜を囲いから逃がさないこと、つまりがんが致死的にならないようにすることだ。囲いはがんの早期発見と治療の体制を表している。

カメは動きが遅すぎて、どのみち逃げられないから、囲いがあってもなくても変わらない。この場合のカメは、進行が遅く死に至らないがんにあたる。このようながんは多くある。

一方、鳥は自由に飛び立つことができるから、誰にも止められない。これが最も悪性のがんに相当する。この種のがんは発見しても進行を止めることはできず、必ず死に至る。

つまり公衆衛生の観点から見て対処すべき相手はウサギ、すなわち致死的になる可能性があるがんだけ、ということになる。ウサギはいつ囲いから飛び出してもおかしくないが、早く手を打てば逃げる前に止められるかもしれない。

誤検知が「警報疲れ」を起こす

ウェルチは韓国の甲状腺がん流行の実態を調べ、実は脅威のない「カメ」が増えているのだと気がついた。

この状態に至るまでの経緯を振り返っておこう。

韓国で甲状腺がん検診が盛んになる前は、検査を受けるのは何らかの症状が現れた人、つまり具合が悪くなって医者にかかった人だけだった（胸にしこりのある女性がマンモグラフィ検査を受けたり、血尿が出た男性が前立腺検査を受けたりするように)。

そうした事例は比較的まれで、その多くが「ウサギ」だった。

だがその後、韓国の医療業界が検診を推奨し始めると、甲状腺に物言わぬ小さな「カメ」を飼っている人が膨大な数に上ることが判明した。そんなわけで、(国民の健康状態は変わらないまま)甲状腺がんの発生率は急増し、患者は甲状腺摘出手術などの、体への負担が大きな治療を受けた。5年後、治療を受けた患者の99・7%が生きていた!

だが患者が生きていたのは優れた医療技術のおかげではない。もともと死に至らないがんだったのだ。韓国の患者は医師に命を救われたと思っただろうし、医師もそう思ったが、実際には多くの患者が(手術の悪影響に)苦しみ、それに見合うだけの健康効果も得られなかった。

ここから何が言えるのか?

早期警報には、エレベーターの落下や顧客の解約を防ぐなど、すばらしい効果を上げるものもある。だがその一方で、韓国での甲状腺がんの「流行」のように、利益以上に害をもたらすものもあるのだ。

では、どうやってそれらを区別すればいいのだろう?

ここで考えるべきは、誤検知率だ。誤検知とは、実際には問題がないのに問題があると判定してしまうことをいう。

火災報知器が鳴るのを聞いて、「おいおい、またか」と思ったことはないだろうか？この「警報疲れ」と呼ばれる現象は、重大な問題になっている。

ある研究チームが2013年の1か月間に、5つの集中治療室（ICU）を調べた。この期間中461人の患者の治療が行われ、患者のベッド脇に置かれた監視装置は計250万回以上の警報を発した。たとえば患者の心拍数や呼吸量、血圧などの変化を知らせる自動警報だ。

警報といっても、その多くは看護師や臨床医が見る画面にメッセージが点滅するだけのものだ。この病院では、治療上重要と考えられる警報のときだけ音を鳴らす設定にしていた。だがそれでも1か月間に40万回近くの警報音が鳴ったという。1床1日当たりに直すと、187回になる。**何もかもに警報音が鳴れば、危機感は麻痺してしまう。**

早期警報は、次の2つの問いを念頭に置いて設計しなくてはならない。「警報が鳴ってから有効な行動を取れるだけの時間はあるか？」（時間がないなら、警報を鳴らす意味がない）と、「誤検知率はどれくらいになりそうか？」だ。

どの程度までの誤検知率を許容できるかは、誤検知に対処する手間と、本当の問題を見落とした場合の悪影響とを天秤にかけて判断する。

「同じこと」を繰り返しても結果は変わらない

問題の見落としが壊滅的な結果をもたらすような状況では、誤検知率がかなり高くても許容できるかもしれない。この例として、2012年のサンディフック小学校銃乱射事件後に創設された、サンディフック・プロミスという組織を考えてみよう。

コネチカット州ニュータウンのサンディフック小学校に若い男が侵入し、銃を乱射して児童20人と職員6人を殺害した事件である。

組織を創設した犠牲者の家族は、アメリカ人の多くが学校銃乱射事件に何も感じなくなり、仕方がないとあきらめている状況を変えたかった。いまこそ行動を起こす必要があると考えた。

創設者の一人、ニコール・ホックリーは、多くの学校が銃撃の脅威に対し、防御に徹していることに首をかしげた。

「学校は銃撃犯が来たらどうするかということばかりを考えています」とホックリーは言う。「児童にどうやって隠れ方や逃げ方を教えるか？　馬鹿げたことに、反撃する方法を教える学校まであるんです。……**なぜ手遅れになったあとのことにしか目を向けないんでしょう？**　それまでの過程を振り返って、犯人がそこに至らないように手助けする方法を考えた方がずっと効果が高いのに」

銃撃事件を起こしそうな人の心の健康に目を向けよう、問題が発生する前に介入しようというホックリーの決断は、明らかに上流思考である。

それに、銃問題をめぐる党派間の対立を考えれば、政治的にも賢明なやり方と言える（「銃規制については何十年も訴えてきました」とホックリーはガーディアン紙に語っている。「だからほかの方法を試すべきです。自分から壁にぶつかりに行っているようなものですよ。同じことを続けているのに、違う結果が得られるはずがないじゃありませんか？」）。

もっとも、学校銃撃事件の防止策を取り上げながら、「銃撃」の部分を無視するわけにもいかないのでひと言触れておく。

「世界の先進国にはたった1か国だけ、個人が大量殺人のための武器を合法的かつ簡単、手軽に収集できる国がある」と、デイヴィッド・フラムがアトランティック誌に書いている。「その国は、先進国でたった1か国だけ、憤（いきどお）った人々による大量殺人が繰り返されている国でもある」

ジョージ・W・ブッシュ〔子ブッシュ〕大統領の元スピーチライターで、リベラルとは言いがたいフラムまでもが、そう言っているのだ。国を挙げての問題盲に警鐘を鳴らしている。

「兆候」を見つける訓練をする

だがホックリーたち創設者は、この問題盲からアメリカを目覚めさせることができるとは思えなかった。そこで、ほかに人命を救う方法がないだろうかと考えた。そしてさまざまな学校銃撃事件を調べるうちに、**ほとんどの事件で早期警報が見逃されていた**ことに気づいたのだ。

たとえば、ほとんどの銃乱射事件が、最低でも6か月前から計画されていた。銃撃犯の10人中約8人が、計画のことを誰かに話していた。SNSに脅迫文を投稿した犯人も多かった。しかるべき人たちが彼らに注意を払い、警報を真剣に受け止めていれば、行動を阻止できたはずだった。

サンディフック・プロミスは生徒に警告信号を教えるため、「兆候を知ろう」訓練プログラムを開始した。たとえば銃への強い関心、強烈な疎外感、銃を持っているという自慢、それに過去の銃撃事件で見過ごされることの多かった、明確な暴力の予告など。こういう言動を見聞きしたら、信頼できる大人に知らせるようにと教えた。

警告信号に注意を払おうというメッセージを広めるために、サンディフック・プロミスは2016年に「エヴァン」と題したビデオを発表した。ハンサムな男子高校生のエヴァンが、謎の少女と思わせぶりなメッセージを交わし合う物語だ。
2人は学校の図書館の机に伝言を書き合うようになる。陽気なBGMを背景に、「相手の少女は誰なんだろう」と思いを馳せるエヴァンの様子が映し出される。最後の体育館での対面シーンで、少女がとうとう名乗り出る。

この感動的なシーンの真っ最中に、体育館のドアがバンと開き、ライフルを持った少年が入ってくる。少年が銃のスライドをガチャリと引き、生徒たちの悲鳴が上がったところで、画面は暗転する。

衝撃の瞬間だが、続いてさらに大きな衝撃がやってくる。ビデオが最初から再生され、数々のシーンの背景に銃撃犯が映り込んでいることが示されるのだ。

ほかの生徒を銃で撃つ真似をする姿、ロッカーの前でいじめられている姿、ランチタイムに独りでぽつんと座る姿、ネットで銃のビデオを見ている姿、銃を持つ自分の写真をSNSに投稿する姿。

兆候はすぐ目の前にあったのに、誰も見ていなかった。ほかのことに気を取られていた。ビデオはセンセーションを巻き起こし、動画サイトで1億回以上再生されている（僕は過去10年間にこんなに恐ろしいほど効果的な公共広告を見たことがない）。

サンディフックの「兆候を知ろう」訓練は、銃撃事件の危険を減らす方法を模索していた学校のリーダーたちに歓迎され、数百校が受け入れた（これも「人間センサー」の一例だ）。

サンディフックのチームは活動を始めてまもなく、いじめや自傷の問題を抱える生徒にも対象を広げるべきだと気がついた。そうした生徒が発する警告信号、たとえば暴力へのあこがれや引きこもりなどは、銃撃犯の兆候に似ていたからだ。

それにいじめや自傷行為は、銃撃よりもずっと頻繁に起こる。「兆候を知ろう」訓練後は、自殺を真剣に考える同級生に気づいた生徒は、学校に知らせるようになった。

早期検知の「絶大な威力」

だが、信頼できる大人がいない、告げ口をしたと思われたくない、あるいは仕返しされたくないといった理由から、気がかりなことがあっても大人に話そうとしない生徒もいた。サンディフック・プロミスは2018年に、生徒が電話やアプリを使って匿名で懸念を報告できる「安全報告システム」を立ち上げた。

「こういう危険な兆候が学期中の平日の午前8時から午後3時までの間に現れることはまずありません」と、サンディフック・プロミスの現場活動副責任者ポーラ・フィンボーは言う。「このシステムを使えば、人目を気にせずいつでも簡単に懸念を報告できます」

ペンシルベニア州の公立学校では2019年に報告システムを導入し、17万8000人を超える生徒が訓練を受けた。

効果はすぐに表れた。導入後の1週間だけで615件の報告と通報があった。これらを受けて46件の自殺防止策と、3件の大規模な薬物押収、2件の実父・継父の性暴力への介入、数十件の自傷行為防止策が実施された。

報告を受けて警察が動いたこともある。2019年1月24日午前2時30分、警察は通報システムの運営者から電話を受けた。「ヘイズルトン中学の14歳の生徒がSNSで学校への銃撃を予告した」という通報が、匿名の情報提供者から寄せられたという。調査の結果、通報に信憑性があったため、午前4時半に警官が生徒の家を訪れ、生徒の母と叔父と面会した（生徒の性別は公表されていない）。

家にはグロック銃があった。生徒の手の届かない、安全な場所に保管されているとのことだったが、ちょっと調べただけで、銃がきちんとしまわれていないことがわかった。**枕元の台に銃弾がフル装填された状態で置かれていた。**

これが早期検知の威力だ。

「安全報告システム」は、銃を所持し、大量殺人を実行する明白な意図を持った銃撃犯予備軍を、実害がおよぶ前に探し当てることができたのだ。サンディフック・プロミスのおかげで、信憑性の高い学校銃撃の脅威がいくつも回避されている。

「俯瞰」することで打ち手が見える

こうした事件が起こると、誤検知だと言い張る関係者が必ず出てくる。生徒は「本気じゃなかった！」と言い、親は「うちの子は問題児かもしれないが、暴力は振るいません！」などと言う。学校も学校で、新聞沙汰は避けたい。

実際、彼らの言うことはすべて本当なのかもしれない！「安全報告システム」は生徒の過剰反応や残酷な悪ふざけを招きがちなこともまた事実だ。

本物の脅威が回避される陰で、多くの誤検知が報告されることは避けられない。そのうえ、**めったに起こらない問題を防止するときは、防止策が成功したかどうかを知ることはほぼ不可能**だ（たとえば、通報がなければヘイズルトン中学の生徒が大量殺人を行っていたとは証明しようがない）。

だが学校銃乱射事件に限って言えば、用心しすぎるくらい用心した方がいいと、子を持つ親なら誰でも思うはずだ。警告信号を見逃した場合の代償が大きすぎるからだ。

「サンディフック小学校の悲劇を思い返すにつけ、一連の連鎖的な出来事があったからこそ、事件があのような展開を見せたのだとわかります」と、ＴＥＤxトークでホックリーは語った。

彼女の友人で、息子のベンをサンディフック小学校の事件で亡くしたデイヴィッド・ウィーラーは、この連鎖をドミノ倒しにたとえる。ドミノが次々と倒れていかなければ、あの惨劇は起こらなかっただろうと。

「全体を俯瞰すると、ドミノそれ自体ではなく、ドミノの間の空間が見えてきます」とホックリーは語った。「次のドミノを止めるために、声をかけたり行動を起こしたりできる時間的猶予があったことに気づくのです」

ホックリーも、サンディフック小学校に通っていた子どもを亡くした。

銃撃を知って、ホックリーは集合場所の学校近くの消防署に飛んでいった。そこで長男のジェイクを見つけたときに押し寄せてきた安堵をいまも忘れられないという。「それに、その子どもが抱きついてきたときの感触も。そして末っ子の6歳のディランを探すために、その腕を引きはがさなくてはならなかったときのつらさも」

数時間後、警察から知らせがあった。ディランは教室で殺された。銃弾を何発も受けていた。彼を守ろうとして亡くなった補助教員の腕に抱かれていた。まだ1年生だった。

ほかの親をけっしてこんな目に遭わせてはいけないと、ホックリーは思っている。ほかの学校のドミノの間の空間に介入し、ドミノ倒しを止めたいと願っている。

CHAPTER

9

「成否」を正しく測るには？

――「幻の勝利」に気づく

上流介入でとかく難しいのが、「何をもって成功とするか？」という問題だ。下流活動が成功したかどうかは往々にしてわかりやすい。なぜなら、下流活動は原状復帰をめざす取り組みなのだから。

くるぶしが痛いから、痛みを止めてほしい。ノートパソコンが壊れたから、直してほしい。結婚生活がうまくいっていないから、あのころの2人に戻りたい、等々。

こういった状況では、成功とは何だろうと思い悩むことはない。ノートパソコンがまた使えるようになったら、成功したとわかる。

だが上流活動では、成否は必ずしもわかりやすくない。

成功を直接確認することができないために、やむを得ず長期的成功と関係がありそうな、簡単に測定できる代用指標に頼らざるを得ないこともままある。だがその場合、「成否を測る方法」と「実際にめざす結果」とが一致しないせいで、失敗を覆い隠す表面的な成功、すなわち「幻の勝利」に惑わされる恐れがある。

「幻の勝利」とは何か？

この章では3種類の幻の勝利をくわしく見ていこう。

これを説明するために、万年弱小球団が勝てるチームに生まれ変わろうと奮起する、というシナリオを考えてみよう。

この取り組みには何年かかるかわからない。そこで監督は成功を示す手近な指標として安打数、とくに本塁打数に着目する。

1種類目の幻の勝利は、「指標」は改善するが、それが「取り組みの成果」だと勘違いしてしまうケースだ（チームの本塁打数は増えたが、リーグの投手陣が全体的に不調なため、どのチームも本塁打数が伸びていた、など）。

2種類目は、「短期指標」は改善したが、「長期目標」には近づいていない（本塁打数は倍増したが、勝ち数はほとんど増えていない、など）。

3種類目は、「短期指標」が「目的」にすり替わり、本末転倒になるケースだ（本塁打を量産せよというプレッシャーから、選手がステロイドに手を染めた、など）。

1種類目の幻の勝利は、「**上げ潮はすべての船を持ち上げる**」という古い言い回しにも表れている。船を持ち上げようとした人は、上げ潮などなかったことにして、成功を宣言したくなる。

アメリカで全国的に犯罪率が大幅に低下した1990年代にも、これが起こった。

当時は全米のすべての都市で、警察署長のすばらしい功績がたたえられていた。すべての警察署の活動方針が成功しているように思われた。犯罪は全国的に減少していた。

「こう考えるとわかりやすいですよ。1990年代にアメリカで警察署長をしていた人はみんな、その後、警備コンサルティング会社の経営で儲けています」と、第7章で紹介したシカゴ大学犯罪研究所のイェンス・ラドウィグは言う。「一方、クラックコカインが蔓延していた1980年代末の警察署長には、コンサルティング会社の経営で儲けている人はほとんどいませんね」

といっても、幻の勝利を挙げた人たちは不正を行ったわけではない。彼らや、彼らに助けられた人たちからすれば、成功は本物だった。アメリカのほぼすべての都市で、犯罪は実際に減った。だが、「何をしたから犯罪が減少した」という理由づけは、おそらく間違っていた。

「声の大きい相手」の話ばかり聞いていないか？

ほとんどの人が――「勝利」を遂げた人でさえもが（あるいは、勝利を遂げた人だからこそ）――幻の勝利に惑わされることがある。どの種類の幻の勝利でもそうだ。よほどくわしく調べなければ、見せかけの成功と真の成功の間のズレには気がつかない。

ボストン市公共事業部の技術主任ケイティ・チョウは、2014年につくらせた2枚の地図を見比べたとき、初めてそのズレに気づき、不安を覚えた。

チョウの仕事の1つは、市の歩道補修予算の配分を決めることだった。

1枚目の地図は、市内の歩道の現状を表していた。地図製作チームは、約2600キロにもおよぶボストンの歩道をひと冬かけて歩くという超人的努力により、歩道の全区間の状態を評価した。市内の全歩道の30％が「不良」と評価され、地図上では赤で示されていた。

2枚目の地図は、歩道補修を市に要請する311番通報の発信場所を示すヒートマップだった。チョウのチームは311番通報をもとに、歩道整備係に補修場所を指示していた。ボストン市民から311番に歩道の亀裂の通報を受けると、チームはその苦情を順番待ちリストに追加し、資金が許す限り早いものから順番に整備班を派遣して補修する。

2枚の地図を見比べたチョウは、何かとてもまずいことが起こっていると思った。最も状態の悪い歩道は市内の低所得地区に集中していたが、補修は進んでいなかった。なぜなら補修資金の使われ方を決める311番通報は、富裕地域からかけられることが多かったからだ。

別の言い方をすると、ボストンではことわざに言うように、「うるさくきしむ車輪ほど油を差してもらえた（声を上げる者が得をした）」が、いちばん「うるさくきしむ車輪」は富裕層だったのだ。

チョウのチームは知らず知らずのうちに、ボストンの低所得者を不公平に扱っていた。だが**その不公平は、チームの業績が評価される方法によって都合よく覆い隠されていた。**

歩道補修チームの業績は、3つの指標で評価された。

1つ目の指標は、支出だ。市当局は管理の便宜上、市を3つの区域に分け、各区域に約150万ドルずつの歩道補修予算を均等に配分していた。

2つ目の指標は、歩道の補修済み面積。これを見ることでチームの生産性を確認する。

3つ目の指標が、311番通報の解決件数だ。

3つの単純で理に適った指標だ。これらは「公平性、生産性、市民への奉仕」という3つの理念に基づいている。市がこれらの指標でチームの業績を長年評価し、何の疑問も持たずにいたのも無理はない。チョウ自身、2枚の地図を見比べてじっくり考えるまでは、評価基準のゆがみに気づきもしなかった。

だが実際には、市を3つの区域に分け、それぞれに同額の資金を配分したからといって、公平性が担保されるわけではなかった。なぜなら最終的に各区域内のどこにお金がかけられるかは、苦情通報の発信場所によって決まるからだ。どの区域でも、最も補修が行われていたのは富裕地区だった。そのうえ、なんと市の補修資金の約45%が、「良好」な歩道の補修に費やされていた！

「間違ったインセンティブ」が働いていないか？

なぜ低所得者は通報しなかったのだろう、とあなたは考えるかもしれない。低所得者だって311番に電話をかけられたのに、と。簡単に答えると、低所得者は経験上、市が自分たちの住む場所にお金をかけてくれるはずがないとあきらめていたからだ。

低所得地区のグローヴホールに住むフランク・ピーナは、自宅前の歩道にある、クモの巣の張った亀裂をボストングローブ紙の記者に見せた。亀裂はもう何年も前からあるのだとピーナは言う。なぜ電話で補修を要請しないのかと聞かれると、「言うだけ無駄さ」と肩をすくめた。

富裕層は「サービスを受けられる」と信じていたから通報し、実際にサービスを受けた。貧困層は「無視される」と思っていたから通報せず、実際に無視された。どちらの場合も、思い込みが現実をつくっていた。

問題をさらに複雑にしていたのが、補修の優先順位が決定される方法だ。

たとえばあなたが整備チームの一員で、けっして完了できないほどの件数の補修の要請を受けていたとしよう。またあなたは、通報の解決件数で業績を評価されることを知っている。さてあなたはどの仕事を優先するだろう?

もちろん、簡単ですぐに補修できるものだ。

この損得勘定がひどい結果につながった。たとえば、市が2017年に行った補修のうち、「不良」の状態だった歩道の割合はわずか15%だった——しかもそれらは補修後も「不良」のままだった(たとえば穴が1つ埋められただけで、ほかの穴が放置されるなど)。まるで医師が銃で3発撃たれた患者の傷を1つだけ手当てして、すばやく治療できたと言って自己満足するようなものだ。

めざす「目標」を明確にする

だがチョウは立派なことに、市長をはじめとする市のリーダーの協力を得て、こうした問題をきちんと解決するために断固とした行動を取った。まずこう考えた。

「私たちは歩道の補修を通して、最終的に何を実現しようとしているのか？」

重要な目標は2つあるように思われた。「歩きやすさ」と「公平性」だ。

歩道は町を歩きやすくするためにあるから、たとえば袋小路の補修は、通行量の多い歩道の補修に比べて重要性が低い。そして、歩きやすさの改善が最も必要な地区は、歴史的に疎外されてきた地区だ。

チョウが行動を起こす前は、市の歩道補修予算450万ドルのうち、約350万ドルから400万ドルが311番通報で補修の要請があった地区の歩道に費やされていた。

現在その額は約100万ドルである。優先順位が逆転したのだ。市が優先的にサービスを提供する対象は、サービスを最も声高に要求する人たちから、最も必要とする人たちに変わった。

いまでは補修予算の大部分が、補修に向けた戦略的で積極的な取り組みに向けられ、サービスを最も必要とする地区の荒れ果てた歩道の補修が進められている。

「本当に必要とする人たち、これまで十分なサービスを受けられず市に見捨てられたと感じていた人たちに、サービスを提供しています」と、チョウは言う。

これが簡単な決断だったとか、あとは放っておいても大丈夫だ、などと思ってはいけない。これは膨大な市の予算のうちのわずか450万ドルが絡む、比較的小さな問題だったが、それでも市長の援護射撃がなければチョウの仕事は進まなかった。

こうした問題には、政治的配慮が欠かせない。ボストンの「きしむ車輪」は、歩道の補修が遅いと思ったら、政治家に訴えるだろう。そうなればどうなるかは目に見えている。

またチョウは従来の成功指標に代えてどんな指標を用いるべきかにも知恵を絞っている。チームがめざすべき目標ははっきりしている。歩道補修予算を利用して、ボストンの最貧地区を歩きやすくすることだ。

だがその進捗を具体的にどうやって測ればいいのだろう?

理想を言えば、徒歩で学校や公園、会社に行く住民の数を補修の前後に調べ、人数が増えていたら成功したとわかる。

だがどれだけ増えれば十分なのだろう? そもそも、そのデータをどうやって手に入れるのか? 監視カメラの映像を見てデータを収集するのか、その場合プライバシーの問題は大丈夫なのか? 交差点に人を立たせて、カチカチと計数器を押してもらうのか?(冗談ではなく、本当にこの方法で数えようとしているのだが、なにせコストがかかる)

人は無意識に問題を置き換えてしまう

ボストン市の従来の指標のよさは、簡単に入手でき、わかりやすいことだった。心理学者のダニエル・カーネマンが著書『ファスト&スロー』（ハヤカワ文庫NF）に書いているように、人間の脳は複雑な事態に遭遇すると、知らず知らずのうちに難しい問題を簡単な問題に置き換えてしまうことが多い。

「何年も前に大手金融機関を訪ねたとき、フォード・モーターの株を数千万ドル買ったばかりだと、最高投資責任者が言っていた」とカーネマンは書いている。「どうやって決断したのですかと訊くと、この間モーターショーに行って感銘を受けたからだという。『あの会社はクルマづくりを知り尽くしていますよ！』と言うのだ。……あの責任者が直面していた問題（フォード株に投資すべきか？）は、難しい問題だった。だがその問題に関係のある簡単な問題（自分はフォード車が好きか？）にならすぐに答えを出せたため、その答えが判断基準になった。これが直感的ヒューリスティックの本質だ。**人は困難な問題にぶつかると、その代わりに簡単な問題に答える。**そしてたいてい、問題を置き換えたことに気づきもしないのだ」

ボストン市の事例でいう簡単な問題は、「地域ごとの支出は？」と「歩道の補修面積は？」だった。適切な問題ではなかったが、簡単に答えを出すことができた。

適切な「短期指標」を見つける

困難な問題を簡単な問題に置き換えてしまう現象は、上流でも下流でも見られる。だが上流活動は長いスパンで物事を見るという特性上、別の種類の置き換えが起こることも多い。

経済学者のスーザン・アシーとマイケル・ルカが研究論文で取り上げた事例を紹介しよう。

ある技術系企業が宣伝メールの販促効果を測定しようとした。最初のうちは宣伝メールの売上効果を調べていたが、顧客がメールを読んでから購入するまで、長くて数週間の間隔が空くため、この指標にはさまざまなノイズが混入した。売上と宣伝メールの関係を分析するのは難しかった。

そこで「開封率」の指標に切り替えた。届いたメールをどれくらいの顧客が開いているかを示す指標だ。開封率のデータは数時間で簡単に確認できた。しかも役に立った——開封率の変化を見れば、メールに加えた工夫に効果があったかどうかをすぐに知ることができる。マーケティング担当者が創意工夫を凝らすうちに、開封率はたちまち上がった。

だが数か月も経たずに問題が生じた。メール1通当たりの売上がガクッと落ちたのだ。

なぜだろう?

アシーとルカはその理由を、「(開封率の指標から見て)成功したメールは、過度な期待を持たせるような、釣りぎみの件名がつけられたメールだった」からだと書いている(たとえば政治家からよく送られてくる、「ダン、今度一杯やりましょう」のようなメールだ)。彼らが選んだ短期指標は、売上を伸ばすという本当の目標には適していなかった。

不適切な短期指標を選んだために、上流活動が失敗することもある。

それでも**実際問題として、短期指標は必要不可欠だ**。活動の重要な道しるべになるからだ。

シカゴ学区の場合、リーダーたちが最終的にめざしていたのは中退率を下げることだった。それが学区の使命だった。だがそのための取り組みが有効かどうかを知るのに、生徒が卒業するまで待っていられない。日々の業務の指針になり、それをもとに取り組みを調整していけるような、目先の指標が必要だった。

まず新入生進捗(FOT)指標が考案されたが、それでも長期的すぎた(1年生の終わりに脱線していることがわかっても、生徒はその時点ですでに学業が遅れてしまっている)。

そこで出欠と成績の状況を見守ることにした。これなら毎週調べて、改善のための手を打つことができる。出席率と成績を改善できれば、生徒を軌道上に戻し、卒業の見込みを高められるはずだ。こうして適切な短期指標が選ばれたおかげで、前に見たように、計画はすばらしい効果を上げた。

適切な短期指標を選ぶのはいらだたしいほど難しい。しかもその選択は重要だ。ひと言で言えば、「短期指標を選ぶのは大変だが、なければもっと大変」ということだ。

「指標の悪用」を防ぐ

ここまで、2種類の幻の勝利を見てきた。

1つ目が、マクロの追い風に助けられた成功。1990年代に英雄視されていたアメリカ各地の警察署長は、もっぱら犯罪の全国的な減少という上げ潮に乗っていた。

2つ目の幻の勝利は、指標と使命との間にズレがあるときに起こる。ケイティ・チョウがボストン市の歩道補修で思い知らされたように、市は不適切な短期指標を選んでいた。

そして3つ目は、実は2つ目の特殊例なのだが、**「指標が目的になってしまう」**ときに起こる。これが幻の勝利の中でも最もたちが悪い。指標ですばらしい成績を上げながら、実は使命をかえって損なっているかもしれないのだから。

僕自身、この種の幻の勝利を挙げたことがある。子どものころ、聖書を1巻読むごとに1ドルあげよう、と父が言い出した。聖書は66巻あるから、全部読めば66ドルの臨時収入になり、当時流行っていた「アタリ2600」のゲームソフトにつぎ込むことができる。父はもちろん、僕が最初の「創世記」から順に読んでいくと思っていた。でも僕がまず選んだのはいちばん短い「ヨハネの手紙第二」と「ヨハネの手紙第三」、「ピレモンへの手紙」の3つだった。初回のお小遣いを請求したときの、父のがっかりしたような、信じられないというような表情が忘れられない。

指標ですばらしい成績を挙げながら使命を損なうとは、まさにこのことだ。

イギリス保健省は2000年代初め、緊急治療室の待ち時間が長いことに懸念を持ち始めたと、グウィン・ベヴァンとクリストファー・フッドが論文に書いている。新しい方針では、待ち時間が4時間を超える病院に罰則が科されることになった。

その結果、待ち時間は短縮し始めたのだが、その成果の中には幻の勝利が混じっていたことが、調査で判明した。たとえば、病院の外に停めた救急車の中で急患を待たせ、4時間という所定時間内に処置できる目処が立ってからようやく病院内に担ぎ込む、といったことが横行していた。

この手の話は誰でも聞いたことがあるだろう。まるでゲームをするように指標を悪用するのはよくあることだ。

「ゲーム」という言葉からわかるように、こうしたエピソードはいたずらっぽく語られることが多い（僕自身も聖書の思い出話を、主に罪悪感を紛らわすために、冗談めかして語った）。

だが多くの上流介入にとって、指標の悪用はささいな問題、人間の行動のおかしくもいたずらな側面というだけではすまない。それは破壊的な力を持ち、使命を台無しにすることもある。

だからもっと実情を表す言葉で呼んだ方がいい。これはただの「指標の悪用」ではなく、「使命の冒瀆（ぼうとく）」なのだ。

「ずる」が発生するメカニズム

ニューヨーク市の犯罪の激減を例に取ってみよう。殺人件数は1990年の2262件で頭打ちになってからほぼ毎年減り続け、2018年には295件と、ピーク時から87%も減少した。重大犯罪全体も80%以上減少した。この長期的な減少は、1994年に行われたある変更によるものだと、一般には考えられている。

この年、ニューヨーク市警本部（NYPD）は「コンプスタット」と呼ばれる新しいシステムを導入した（コンプスタットの戦略も重要だが、「上げ潮」の側面は忘れないように。まったく違う戦略を取ったほかの都市でも、犯罪は減少した）。

簡単に説明すると、コンプスタットは3つの柱から成り立っていた。

第1に、市警は犯罪をくわしく追跡し、データと地図を使って犯罪発生地点を正確に突き止めた。

第2に、市内の警察署は、データのパターンをもとにリソースを配分した。つまり強盗事件の多発地域に警官を重点的に配置した。

第3に、各警察管区は管轄内の犯罪を減らす責任を課された。

この3つ目の柱が、思いがけない、ひどい影響をおよぼしたのである。第5章でジョー・マッキャノンが説明した、「調査のため」のデータの使われ方を思い出してほしい（139ページ）。人は自分の利害が何らかの数値にかかっているとき、**自分に有利になるように数字を操作したい衝動に駆られる**。

ポッドキャスト制作・配信会社ギムレットメディアが2018年に制作した「リプライオール」という番組が、コンプスタットとその影響を全2話のシリーズで取り上げている。とてもよくできた番組なので、指標と使命との兼ね合いに悩む人はぜひ聴いてほしい。

番組の司会者PJ・ヴォートは、ニューヨーク市の警察署長が、コンプスタットによって新たに課された責任にどのように対応したかを説明した。

「犯罪件数が増えると、困ったことになります。そこで、ちょっと待てよ、と考えた警察署長がいました。この地域で犯罪を調査する責任はこの私にある。犯罪を減らせないのなら、犯罪があったことを報告しなければいいじゃないか、と。

そしてありとあらゆる方法で隠蔽を行いました。たとえば被害者からの犯罪の届け出を受けつけない。事実と異なることを報告する。それこそ書類を捨ててしまうことさえありました。そうやってコンプスタット会議を乗り切った署長は栄転していきました。後任の署長は、前任者がずるをして出した数字をさらに上回る成績を残さなくてはならないことに気づきました。そこで後任者はさらにずるを増やしたのです。……

署長は市警の本部長のために、本部長は市長のために、犯罪率を下げているかのように感じていました。市長も市長で、不動産価格が暴落したり観光客がよそへ行ったりしてしまわないように、犯罪率を低く抑える必要がありました。犯罪率の数字を下げることが至上命題になり、誰もかれもがそれに振り回されていました」

「格下げ」という狡猾な方法

批判をかわすために犯罪を軽く見せようとする慣行は、「格下げ」と呼ばれるようになった。番組はぞっとするような格下げの例を紹介している。司会者（以下ＰＪ）と、ニューヨーク市警の勤続14年のベテラン警官リッチー・バエズ（以下リッチー）の会話を聞いてみよう（注意：レイプの描写あり）。

ＰＪ：リッチーと相棒は、この街角に一晩中立っているよう命じられました。店がひしめく商業地区の交差点です。でも真夜中ですから、店はどこも閉まっています。たいていの夜は、ただ立っているだけで日が昇るまで何も起こらない、そんな任務でした。ところがその夜、男が走り寄ってきてこう言いました。「なあ、ヤバいことが起こってる。見にいってくれよ」

リッチー：男はこう言ったんです。「聞いてくれ、男が女を空き地に引きずっていくのを見たんだ。レイプするつもりだろう」。私たちはすぐに車に乗り込み、現場に向かいました。「助けて、助けて、助けて」と女性が叫ぶ声がしました。男が女性に馬乗りになって殴りつけ、レイプしているのが見えました。ライトで照らして、「やめろ」と言いました。男がやめたので、「こっちに来い」と2人に言いました。2人はこっちに向かってきました。女性は目の周りにあざができていて、2人とも下着を下ろしていました。

ＰＪ：被害者は何が起こったかをリッチーに話し始めました。いまにして思えば女性の説明はとても正確だったと、リッチーは言います。

リッチー：女性は言いました。「こいつにレイプされたのよ。あたしは商売女だけど、びた一文もらってない。あたしを殴りながら、あたしの同意なしになかに入ってきたのよ」。要するに、レイプの定義が全部盛り込まれていたんです。教科書通りにね。

PJ：リッチーが無線で犯罪を報告すると、上司が現場にやってきました。

リッチー：上司は女性に話を聞こうとしました。複数の警官で被害女性を繰り返し尋問して、供述が変わらないかどうかを確かめたんです。

PJ：上司が何をしようとしているのか、リッチーにはちゃんとわかっていました。上司はこの被害者をコンプスタットに入力したくなかった。だから繰り返し尋問して、供述に穴を見つけ、レイプ以外の犯罪に分類する口実を見つけようとした。犯罪を「格下げ」しようとしていたんです。

PJ：供述をどんなふうに変えたら格下げできますか？

リッチー：そうですね、この場合は「サービスの窃盗」に分類しようとしていました。

PJ：サービスの窃盗ですか？

リッチー：ええ。

ちょっと考えてみよう。ニューヨーク市警の署長が、レイプのデータを収集する責任を任された。数字をよく見せる方法は2つある。

1つは、レイプを「実際に防止する」こと。危険な地区に警官を目立つように立たせ、暴力行為を抑止する（リッチーと相棒がほんの数分早く現場に着いていれば、レイプを抑止できたかもしれない）。

2つ目の方法が、レイプを「軽い犯罪に分類し直す」ことだ。この事例で言うと、リッチーの上司は売春婦の事件を「サービスの窃盗」に分類し直そうとした。

1つ目の方法は正真正銘の勝利だが、2つ目の方法は許されてはならないことだ。だが恐ろしいことに、**データでは両者の見分けはつかない**。

さらに厄介なのが、ニューヨーク市で犯罪が実際に、しかも大幅に減少していたことだ。だがそれが一種の罠になった。犯罪を実際に減らし続けることがますます難しくなり、そのせいで数字を操作したいという誘惑はますます強くなった。

「数字の達成」に翻弄される

指標の悪用というこの現象を見過ごすわけにはいかない。何かの数字を達成することで報酬を得たり、達成しないことで罰を受けたりするとき、人はずるをする。結果をゆがめる。結果を報告しない。格下げする。「数字の達成」をやみくもに追い求めるうちに、合法的でありさえすれば、良心の呵責（かしゃく）などみじんも感じずにどんなことでもするようになる。

使命がおろそかになろうが、おかまいなしだ。やがて、うしろめたさを感じずに違法なことを行う方法を探すようになる。

どんな人も、つねにそういう行動を取っているわけではない。だがほとんどの人が、たまにそういうことをする。

たとえば中退率を下げるようハッパをかけられている高校の校長を考えてみよう。中退率を下げるための「正しい方法」とは何だろう？　生徒のやる気を引き出し、成績を注意深く見守り、支援を惜しまないことだ。

だがそれは大変なことだし、この校長はそこまでやる気がない。ほかに中退率を下げる方法はないだろうか？　1つは、落第点をつけるなと教師に申し渡すことだ。生徒の学びなど知ったことじゃない。出席しようという努力がほんの少しでも見られれば、単位を与え、進級させ、卒業させる。これは幻の勝利だ。

もっと巧妙な方法が「格下げ」だ。生徒が中退したら、生徒の状況をカウンセラーと検討し、書類に目をこらし、これは「中退」ではなく「転校」ですね、と判断する。中退は校長にバツがつくが、転校ならつかない。それに、真偽は誰にもわからない。生徒が内心で転校しようと思っていなかったなんて、誰にも言えないのだ。

「定量的指標」と「定性的指標」を組み合わせる

シカゴ学区の成功物語は、ひょっとするとこういった手法で獲得された、幻の勝利だったのだろうか？　答えはノーだ。

それがわかったのは、シカゴ学区が果敢にも精査を受けたからだ。シカゴ大学学校研究連盟のイレーヌ・アレンズワースらの調査グループは、学区のデータをくわしく調べた結果、指標の悪用が行われた証拠を見つけた。一部の中退者が、転校者に偽装されていた。だが卒業生の増加数に比べれば、悪用件数は取るに足りないものだったと、調査は結論づけている。

この調査は、1つ目の種類の幻の勝利の可能性も検証した。つまりシカゴ学区の成功が、マクロ的な動向に助けられていたのかどうかだ。高校の卒業率は実際に全国的に上昇傾向にあり、上げ潮がすべての船を持ち上げていた。だがシカゴ学区の取り組みは、「ほとんどの学区の改善を上回る成果を上げた」と、調査は指摘している。

もうひとつの懸念、すなわちろくに勉強もしない生徒が及第点をつけられて卒業した可能性を調べるために、研究者はほかの複数の指標を調べた。

たとえば、出席率は大きく改善していて、行動上の変化が実際に起こっていることをうかがわせた。高校の大学進学コース在籍者数と成績優秀者数は、どちらも増えていた。だが最も強力なデータは、イリノイ州の全高校生が受験を義務づけられている、大学進学適性試験（ACTテスト）の成績だった。

「もし学校がむやみに生徒を進級、卒業させていたのなら、ACTのスコアは下がっているはずだ」と研究者は書いている。だがそうではなかった。ACTのスコアは2003年から2014年にかけて〔36点満点中〕2点近くも上がっていた。これは「ほぼ2年分の学習にも相当」する上昇だ。

シカゴ学区の成功は幻の勝利ではなかった。学区は使命にふさわしい指標を選んでいた。彼らの指標の選び方は、とても参考になる。インテルの元CEOアンディ・グローブが「一対比較法」と呼んだ方法を用いたのだ。

定量的指標で業績を測ると質がおろそかにされることが多いと、グローブは考えた。たとえば清掃チームに清掃面積に応じて報酬を支払ったり、データ入力チームの業績を文書の処理件数で評価したりするのは、清掃やエラーのチェックに手を抜けと言っているようなものだ。

そこでグローブは、定量的指標に定性的指標を組み合わせてバランスを図った。責任者が清掃品質を抜き取り検査したり、データの誤入力を確認し記録したりするようにした。

シカゴ学区を評価した研究者も、この方式を用いた。定量的指標（卒業者数）に、質的な指標（ACTの評点、大学進学コースの在籍者数）を組み合わせたのだ。

ニューヨーク市警本部は2017年になってようやく、コンプスタットに補完的な指標として、地元住民が「どの程度安全だと感じているか」「警察をどれくらい信頼しているか」を測るための質問を追加した。

指標の穴をふさぐ「5つの問い」

上流活動で短期指標を用いる場合（つまりほとんどの場合）、指標が悪用される可能性を事前にしっかり考えておく必要がある。悪用を事前に想定し対策を講じるのは、事後対応に比べて建設的だし、しかも結構楽しい。悪用対策として、次の4つの問いを考えよう。

①上げ潮テスト：この短期指標で好成績を挙げた場合、自分たちの取り組み以外の要因が関係した可能性はないだろうか？　もしある場合、それらの要因を追跡しているか？

②不一致テスト：この短期指標では長期目標の達成度を確実に測れないことが判明するかもしれない。短期指標と長期目標の不一致をできるだけ早く嗅ぎつけるにはどうしたらよいだろう？　またこの短期指標に代わる指標にはどんなものがあるだろう？

③手抜き役人テスト：楽をして短期指標で好成績を挙げる抜け道はないだろうか？

④使命の冒瀆テスト：いまから数年後に、短期指標では好成績を挙げたのに、長期的な使命が損なわれていたことが判明したとする。いったい何が起こったのだろう？

実はもう1つ考えなくてはならない、5つ目の問いがある。この問いはとても複雑だから、次章をまるまるあてて考えたい。

⑤意図せざる影響テスト：短期指標だけでなく使命も達成したのに、意図しない悪影響が生じて取り組みの成果が台無しになってしまったとする。取り組みの背後のどんなことに注意を払うべきだったのだろう？

知っての通り、善意だけでは上流活動を確実に成功させることはできない。一度も起こったことのない問題を防止しようとするときは、失敗のリスクはつねにつきまとう。だがそれ以外のリスクとして、よかれと思った取り組みが、かえって害になることがあるのだ。次章では、上流活動がおよぼすさまざまな影響を予見するための奮闘を見ていこう。

CHAPTER

10

「害」をおよぼさないためには？

――「フィードバックループ」で改善する

マッコーリー島は、オーストラリアと南極大陸北東岸のほぼ中間に位置する島だ。この地域では生物が繁殖できる数少ない島であり、渡り鳥が休息と繁殖のために立ち寄れる貴重な場所になっている。また時折やってくる警備隊や研究者を除けば、無人の自然保護区でもある。

遠隔地、独自の生息環境、無人という条件が相まって、この島には多くの希少種、とくに海鳥類が生息している。水面を軽やかに助走して飛び立つアオミズナギドリ（ブルーペトレル）もその1つだ（この名は、海の上を歩いてイエスのもとへ行った聖ペテロにちなんでいるという）。島には莫大な数のペンギンやアザラシもいる。

マッコーリー島をひと言で表せば、自然保護活動家が考える楽園だ。いや楽園のはずだったのだが、19世紀と20世紀に猟師や商人がたびたび船で島を訪れ、燃料になる脂を取るためにペンギンやアザラシを乱獲したせいで、楽園ではなくなった。

船乗りは島の在来種を絶滅に追い込んだだけでなく、外来種を持ち込んだ。ウサギが食料として連れてこられ、ネズミが荷物に紛れて入り込んだ。ネズミを捕獲するため、またさみしさを紛らわすために、ネコが持ち込まれた（アザラシを殴り殺すだけの生活は味気ないのだ）。こうした外来種は、天敵となる動物が島にいなかったので、在来の動植物を好きなだけ食べて大繁殖した。

大規模駆除のいたちごっこ

1960年代になると、自然保護活動家がウサギの駆除に乗り出した。ウサギが際限なく草を食べ、穴を掘ったせいで、島は荒れ果て、巣穴で繁殖することを好む海鳥の交尾習性が乱されていた。

この時期、さまざまな毒物やウイルスを使ってウサギの個体数を抑制する実験が行われた。有望なウイルスが見つかったが、拡散に失敗したため、媒介生物（ベクター）を用いることにした。

1968年に、タスマニア島で数千匹のノミを集めてマッコーリー島に運び、ウサギ穴に放った。ウサギが穴を出入りするうちにノミが体にとりついた。

ノミをまいてから10年ほど経ち、島のウサギがノミまみれになった1978年、致死性の粘液腫ウイルスを導入した。どうやって？　夜に懐中電灯と出力を落とした空気銃を持って島を歩き回り、**ウイルスを浸した脱脂綿のペレットでウサギのおしりを撃った**のだ。

あとはノミに任せておけば、ウサギからウサギへとウイルスを運んでくれた。1988年までに10万匹以上のウサギが死に、ウサギの個体数は2万匹を切った。

するとエサのウサギを失ったネコが、海鳥の希少種を襲い始めた。そこで活動家はネコに標的を移した。警備隊がネコを射殺し始め、2000年にはネコは島から完全に駆逐された。だが今度はウサギとネズミの個体数が増え始めた。天敵のネコが撃ち殺され、しかもウサギはウイルスに耐性を持ち始めていた。おまけにウサギ駆除のウイルスを開発した研究所は、製造をやめていた。

自然保護活動家は、駆除の規模を拡大することにした。ウサギとネズミの根絶計画を実行に移した。まず飛行機で毒エサを散布したが、有害生物だけでなく約1000羽の在来鳥類まで殺してしまった。活動家は方法を調整した。毒エサ、銃殺、猟犬による狩り、そして殺傷力のとくに高い「ウサギ出血病ウイルス」入りのニンジンを含む、大々的で多面的な計画を考案した。

猛攻は成功した。2014年までにはウサギとネズミが島から一掃され、もちろんネコはとうの昔にいなくなっていた。在来種の個体数は底を打ち、回復を見せ始めた。開始から約50年を経て、取り組みは成功と賞賛された。

しかしいま、島は雑草の侵入に悩まされている。数千匹のウサギのかじり隊が雑草の繁殖を抑えていたことが、いまになってわかったのだ。現在、自然保護活動家は雑草を研究し、駆除計画を策定中である。戦いはまだまだ続く。

あらゆる「副作用」が起こり得る

この本を書くために調べたすべての物語の中で、僕がいちばん困惑したのがこの物語だった。何とか理解しようとして何時間も首をひねった。

これは壮大な失敗物語なのだろうか？ それとも自然保護活動の目の覚めるような勝利？ いや、人間が「神のようにふるまった」ことのツケなのか、はたまた失敗に負けず臨機応変に対処した感動物語なのか？ 問題が起こるたびにあたふたする下流活動の風刺なのか、あるいは在来種の絶滅防止をめざす典型的な長期の上流介入の物語なのか？

それに、この取り組みが正しいかどうかも判断しかねた。島全体の動物を殺していいものだろうか？ どの種を生かし、どの種を死なせるかを決める権利が人間にあるのか？

（この問いに憤然と「ノー」と答える人は、何千匹ものネズミを守るために、美しいミズナギドリを絶滅に追い込む覚悟はあるだろうか？　それにもとを正せばこのネズミも脂を求める船乗りたちによって島に持ち込まれたものである。また、ネズミよりミズナギドリがかわいそうだと思う人は、見た目に倫理的判断を惑わされていないだろうか？　たとえば船乗りがウサギとネズミではなく、ラブラドゥードル犬を連れてきたらどうなっていただろう？　ミズナギドリはないがしろにされていたかもしれない）*

生態系は複雑だ。ウサギを殺せば、ネコが海鳥を襲い始める。ネコを殺せば、ウサギが過剰に繁殖する。ウサギとネコを殺せば、侵入雑草が生い茂る。

上流介入では複雑なシステムに働きかけるため、この本では直接取り上げない、ありとあらゆる反応や結果が起こることを覚悟しなくてはならない。**「水を調整」すれば、さまざまな影響が連鎖的に波及する。**つねにだ。

世界をよくするための取り組みで意図しない害をおよぼさないためには、どうしたらいいだろう？

＊　僕は世界的な倫理哲学者で、『動物の解放』（人文書院）という本を書いたピーター・シンガーにメールを送って、この問題について意見を求めた。マッコーリー島への介入を、シンガーならどう考えるだろう？　彼の答えはこうだった。「島に持ち込まれた動物を殺すより在来種の絶滅を選ぶべきだ、などと言うつもりはないが、もし介入が動物に極度の苦しみをもたらすならば（たとえばオーストラリアの数十万匹のウサギを殺すために、粘液腫ウイルスが使われたときのように）、介入を実行すべきだとは思えない」。続けてこう書いている。「殺さずにすむような個体数の管理方法を開発するか、それが無理なら苦しませずに瞬時に殺す方法を考えるべきだろう」。僕はただちにシンガーの考え方を自分のものとして受け入れた。もうこれで、矛盾した思いに悩まされずにすむといいのだが。

システムの「全体」を俯瞰する

「システムについて考えるときは、システムを考えるそもそものきっかけになった問題だけを見ていてはいけない。システム全体を俯瞰できる視点に立つことも大切だ」と、生物物理学者でシステム思考の提唱者のドネラ・メドウズが書いている。

この章ではメドウズの研究を何度か引用する。メドウズはこう続ける。

「またとくに短期的に見られることだが、**システム全体の利益になる変化が、システムの一部の利益に反するように見える場合がある**ことを知っておかなくてはならない」

メドウズが言っていることの痛ましい例を挙げよう。

2009年7月のこと、グーグルの若手エンジニアがセントラルパークを通り抜けようとしたとき、頭に樫の木の枝が落ちてきて脳に損傷を負い、体に麻痺が残った。

これは不幸な不測の事故だと思われていたが、そうではなかった。のちにニューヨーク市の会計監査官スコット・ストリンガーが、市が訴訟を解決するために支払ってきた和解金について調べ始めたところ、枝の落下が絡む訴訟が異様に多いことに気がついた（このエンジニアの訴訟は1150万ドルで和解している）。

不思議に思ったストリンガーは調査を進め、数年前から経費削減の一環として樹木剪定（せんてい）

の予算が削られていたことを突き止めた。「維持管理面で節約したつもりのお金が、訴訟で消えていたんです」と、ニューヨーク市政策担当監査官補デイヴィッド・サルトンストールは言う。

ストリンガーの会計監査室は「クレイムスタット」という、コンプスタットにちなんで名づけられたプログラムを開発した。ストリンガーが2014年に説明した言葉を借りれば、クレイムスタットは「コストのかかる問題が起こりそうな分野を、数百万ドル規模の訴訟を起こされる前に特定するための、新しいデータ分析ツール」である。

そして、市を相手取って起こされた、年間約3万件に上る損害請求を地図上に表してデータベース化し、パターンを調べてみた。

市は公園での子どもの負傷に、過去数年間で2000万ドルもの和解金を支払っていた。一例として、ブルックリン区のある公園のブランコが原因で、何件もの訴訟が起こされていた。ブランコが低すぎるせいで、2013年だけで5人の子どもが足を骨折していた。

「ただ公園に足を運び、ブランコの高さを15センチほど上げるだけで、大きな問題を解決できたはずです」と、サルトンストールは言う。「なのに誰もそうしようとは思わなかったんです。……データを集め始めると原因が判明し、そのほとんどがそれほど複雑でない方法で解決できるとわかりました」

メドウズが「部分」の利益と「全体」の利益は相違すると言ったのは、まさにこのことだ。剪定の予算を削れば経費削減になり、公園課にとっては喜ばしい。だが結局は、落ちてきた枝でケガをした罪なき人たちに、削減額をはるかに上回る賠償金を支払う羽目になる。関係者にはこのつながりが見えていなかった。ストリンガーのチームがデータを収集し分析して、初めてパターンが明らかになったのだ。

「質問リスト」で影響を検討する

上流介入を計画するときは、自分の仕事の外にまで目を向けなくてはいけない。視野を拡大して全体を見渡す必要がある。

介入はシステム内の適切なレベルで行われているか？　この取り組みの二次的な影響は何だろう？──つまり、X（侵入種、麻薬、手順、製品等）を排除したら、何がその穴を埋めることになるだろう？　何かの問題にかける時間と労力を増やしたら、何がおろそかになり、その結果システム全体にどんな影響がおよぶだろう？

マッコーリー島の事例を知って、生態系は複雑すぎて手に負えない、と思った人がいるかもしれない。だが正しいシステム思考をもってすれば、生態系に狙い通りの効果をもたらせることもある。

国際組織アイランドコンサベーションは、「侵入種を島から排除して在来種の絶滅を防ぐこと」を使命とし、これまでネズミやネコ、ヤギなどの侵入種を島から一掃することに何度も成功している。おかげで絶滅危惧種、それも往々にしてその島にしか生息しない種が守られてきたのだ。

この組織が用いるツールには、高度な費用対効果分析や自然保護モデルがある。後者の一例に、島内で「何が何を食べているか」を表す相関図に似た、「フードウェブ」と呼ばれるモデルがある。フードウェブを使うと、食物連鎖から1つの種を取り除くことの二次的影響を視覚化しやすくなる。

「島は1つのシステムです」と、アイランドコンサベーションの科学部長を8年間務めるニック・ホームズは言う。「**システム内でものをあちこちに動かすと、直接的な影響を超えた、ほかの影響がおよびます**。……たとえば島にヤギがいて、侵入植物が生えていたとして、ヤギを排除したら侵入植物は増えるでしょうか？」。新規プロジェクトを検討する際には、そうした綿密な疑問のリストをつくって、間接的な影響を考慮するという。*

二次的影響を想定しないと大失敗を招くことがある。これをよく表しているのが、「コブラ効果」だ。コブラ効果とは、ある問題を解決しようとして、かえって問題を悪化させてしまうことを言う。

* ちなみにホームズはマッコーリー島への介入に関して、僕のように懐疑的な考えを持っていない。彼が同志の環境保全活動家を非難しているようにとられるのは、僕の本意ではない。

この名前はイギリス統治時代のインドでの出来事にちなんでいる。イギリスの行政官が、デリーのコブラの多さに頭を悩ませ、インセンティブの力で問題を解決すればいいと考えた。そして「死んだコブラを持ってきた者に懸賞金を与えよう」というお触れを出した。

「これで一件落着、と行政官は考えました」と、ファイナンス教授のヴィカス・メロートラが、ポッドキャスト「フリーコノミクス」で説明している。「でもデリー市民のなかに、コブラを繁殖させて儲けようと考えた人たちがいました。行政府には突如、コブラの死骸が殺到し始めました。思ったほどよい案ではなかったということになり、懸賞金は撤回されました。でもそのころには山ほどのコブラが繁殖されていました。繁殖した人たちは売れなくなったコブラをどうしたでしょう？　逃がしたんですね」

コブラを減らそうとする取り組みが、かえってコブラを増やしてしまったのだ。

「コブラ効果」という落とし穴

同じコブラ効果でも、もっとさりげない例もある。組織心理学者でオーストラリアのイノベーション会社インベンティウムの創業者アマンサ・インバーは、残念な経験をした。インバーが率いる総勢15人の会社は、２０１４年にメルボルンの新しいオフィスに移転した。インバーは改装に約10万ドルをかけ、すばらしいオフィスを完成させた。仕切りを取り払った開放的な空間に、特注の長い木の机が2つ置かれ、天井まで届く4メートル近い窓から光が差し込み、壁には図象が描かれている。クライアントの目には、まさに理想のイノベーション会社に映った。完璧だった……ただし、働きやすさを除いては。

「一日が終わりに近づくと、いつも思いました。『今日は大した仕事をしなかったわ、メールを読んだり、ミーティングをしたり、同僚に仕事を中断されたりして一日が終わってしまった』って」とインバーは言う。そのうち、大変な仕事は夜間や週末に行うようになった。

開放空間は対面の共同作業が行いやすいと思っていたのだが、むしろ逆効果だった。

「会話がみんなに筒抜けだと、話そうという気にはならなくて」と彼女は言う。

またいざ会話が始まれば始まったで、ほかの全員が気を取られ、注意が散漫になり、仕事に深く集中できなかった。インバーは午前中はカフェで仕事をするようになり、部下にもそうする許可を与えた。その結果、最近ではせっかくの新しいオフィスに2、3人しかいないのがあたりまえになってしまったのだ。

ハーバードの研究者イーサン・バーンスタインとスティーヴン・ターバンによる2018年の研究が、インバーの経験を裏づけている。この研究では、開放型のオフィスへの移転を予定していた、フォーチュン誌の企業番付に名を連ねる2社を調べた。

それぞれの会社で志願者を募り、移転の前後に「ソシオメトリックバッジ」と呼ばれる行動センサーを装着してもらい、社内でどこに移動したか、誰とどのくらいの頻度で会話したかを計測した（会話の内容ではなく、会話した事実だけを記録した）。これによって、開放空間について誰もがいちばん知りたい疑問、「対面のやりとりが促されるのか」に答えを出そうとした。

答えは笑ってしまうほどはっきりしていた。**どちらの会社でも、対面のやりとりは70％ほど減った。**他方、メールとメッセージのやりとりは急増した。社員は会話しやすいように近くの席にすわらされると、かえって話さなくなったのだ。これもコブラ効果だ。

成功の秘訣は「試行、錯誤、錯誤、錯誤」

ややこしいことに、こういう状況では矛盾する「常識」の糸を解きほぐさなくてはならない。

一方ではこう考える。席が近くなれば、共同作業が増えるに決まってる！　そんなのは社会学の常識だ。その一方では、こう考える。いや待てよ、地下鉄や飛行機を見てみろ。ぎゅうぎゅうに混んでるときは、みんなヘッドフォンや本や露骨に嫌そうな顔で、必死にプライバシーを保とうとするじゃないか。

どちらの常識を信じるべきかを前もって知る方法はあるだろうか？

普通はわからない。だから実験を行う。

「いつも忘れないでほしい。あなたが知っていることや、みんなが知っていることは、すべてただの〝モデル〟にすぎないということを」と、システム思考家のドネラ・メドウズは書いている。「あなたのモデルを取り出して、誰もが見える場所に置こう。あなたの仮定に疑問を投げかけ、新しい仮定を加えてほしいと、みんなに呼びかけよう。……知らないことがあれば、ごまかしたり固まったりせずに学習しよう。学習に必要なのは、実験だ。あるいは建築家のバックミンスター・フラーが言ったように、試行、錯誤、錯誤、錯誤だ」

インバーは開放型オフィスでの失敗を振り返って、近くのヴィクトリア州立図書館に社員を連れていって実験をすればよかった、と言っていた。この図書館には、共同作業のための開放空間から、一人になれる空間までのさまざまな環境がある。もしチームがこうした環境に実際に身を置き、生産性や心の状態にどんな変化が起こるかを調べていれば、その経験をもとにもっと働きやすいオフィスを設計できただろう。

間違いを知るには「フィードバック」が欠かせない

そして実験を成功させるためには、迅速で信頼性の高いフィードバックが欠かせない。

たとえばナビゲーションを考えてみよう。初めての場所に行くときは、自分がどこにいてどこに向かっているかをつねに把握する必要があるから、方位磁石の針やグーグルマップの青い点を見ながら進んでいく。

だが上流介入では、この種のフィードバックを得られないことが多い。開放型オフィスの例で言えば、共同作業が増えているのか減っているのかを知るにはどうすればいいのか？

ふつう社員は、行動を記録する「ソシオメトリックバッジ」なんてつけていない。年に一度の社員調査でオフィスの配置換えの感想を聞くのもいいが、たまの定時的なフィードバックではナビゲーションにならない。まるで1時間に1回送信されてくる外の写真だけを頼りにして窓のない車を走らせるようなものだ。これではとうてい目的地にたどり着けないし、リスクの大きさを考えれば、試すだけばかげている。

「まず言いたいのは、**どんな計画も必ず間違う**ということです。それを肝に銘じる必要があります」と話すのは、ランド研究所の元研究員で、メディケアとメディケイド〔アメリカの公的医療保険制度〕の医療品質測定システムを設計したアンディ・ハックバースだ。

世界をよりよくするためにシステムを設計する人に、何かアドバイスをもらえませんかと聞くと、こう答えてくれた。

「計画が間違っていることを知るには、フィードバックの仕組みと測定システムが絶対に欠かせません」

つまり、未来を正確に予測することでは成功できない。成功のカギは、道を知るために必要なフィードバックを確保することにあるというのだ。

もちろん、予測できることや、予測すべきことはいろいろある。島からヤギを排除すれば侵入植物が繁殖することを予測しないのは、システム思考の失敗だ。

だが何から何まで予測することはできない。取り組みがおよぼす何らかの影響を読み誤ることは避けられない。そしてフィードバックがなければ、どこをどう間違ったのかわからないし、軌道修正もできない。

僕はハックバースと話をしたあと、彼の主張を裏づける話を、乳房切除手術後の回復をサポートする理学療法士から聞いた。この手術を受けた患者は筋肉が痛み、動きが不自由になることが多いため、サポートが必要なのだ。彼女の話に僕は衝撃を受けた。

「患者さんが理学療法を受けるために下着を脱ぐと、どの先生に手術を受けたかが一目でわかりますね。先生によって手術痕がまったく違いますから」と言うのだ。手術痕が特別きれいな外科医と、いつも見苦しい痕を残す外科医がいるのだという。

僕は技能の劣る外科医を（もちろんその患者のことも）気の毒に思った。患者をもっと助けてあげられたことにも気づかないまま、キャリアを終えるのだろう。

理学療法士が外科医に教えてあげればいいのに、と思う人がいるかもしれないが、上司のそのまた上司にあたる外科医の仕事にケチをつけたらどんなことになるか、考えてほしい。これはむしろシステムの問題だ。システム内の「ループ」が開いたままになっていて、理学療法士の発見が外科医にフィードバックされないようにできているのだ。

閉じたフィードバックループがあると、改善がはかどる。ループがないなら、自分でつくればいい。

乳房切除手術の例で言うと、たとえば経過観察の診察で患者の手術痕を自動で撮影し、その画像を手術を担当した外科医宛てに、ほかの外科医の手術痕の画像と合わせて送付する決まりにしたらどうだろう（もっと思い切った案として、患者が手術前に画像を見比べて、担当の外科医を選べるようにしてもいい）。*

「改善を強いるシステム」をつくる

次に、たとえば車の製造販売にどんなフィードバックの仕組みがあるかを考えてみよう。売上や顧客満足度、品質、市場シェアといったデータがある。また客観的な外部の評価指標、たとえば顧客のレビューや消費者情報誌による分析、市場調査会社の調査結果などもある。企業はこういったフィードバックによって、よいクルマを製造するよう半ば強要されている。

最近では、とくにあの世界一醜いクルマとも言われるポンティアック・アズテックが生産終了になってからというもの、お粗末な車はつくられなくなっている。

だが、もしこうしたフィードバックが得られず、手探りで車をつくっていたらどうなるだろう？　それが、アメリカの教育制度の実態なのだ。

たしかに共通テストのスコアは重要なフィードバック情報だが、そのフィードバックがどんな変革につながっているというのか？

たとえばある高校で、2年生の「一次方程式」の単元の得点が異様に低いことがわかった場合、1、2年生を担当する教師が集まって、次の学期のためにその単元の教え方を見直すだろうか（たとえ見直したとしても、年に一度のフィードバックではとても足りないが！）。

だが、**もしそうしたデータを毎日得られたとしたらどうか？**

たとえば、ここ数回授業に出ていない生徒をいますぐ知ることができたら？　前日の宿

＊　少し補足しておこう。第1に、形成外科医の場合は実際に手術例の写真を患者に見せることが多い。この理学療法士が見ていたのは、乳房切除手術だけを行い乳房再建は行わない、腫瘍外科医の手術痕だった。第2に、前章で説明した指標の問題点のすべてが、ここにも当てはまる。この状況での外科医の最大の使命は、手術痕を目立たなくすることではない。手術の狙いはあくまで患者の健康的な回復にある。僕がここで言いたいのは、「正しいシステムがあれば、健康的にも美的にもよい結果が得られるかもしれない」ということだ。

題の取り組み状況を見て、生徒がどの単元に苦労しているかを知ることができたら？ 学校全体のデータをもとに、それぞれの単元の教え方がうまい教師を知ることができたら？

教師なら誰でも、こういったことをある程度は直感的に察知しているし、なかにはそれを知るために自分なりの方式をつくり、改良を重ねている英雄的な教師もいる。

だが**本来、改善には英雄的な努力など必要ないはずだ！** メール広告のメッセージが改善されていくのは英雄のおかげではない。迅速で適切なフィードバックがあれば、否応なく改善されていくのだ。

まとめると、教育制度の改善を図るには、新しいカリキュラムや新しい方式を考案して、うまくいくよう祈ることもできるし、多くのフィードバックループが組み込まれていて時間とともに否応なく結果が改善されていくような優れた仕組みを考案することもできる。後者が、システム思考家の推奨する方法だ。

「フィードバックループ」のつくり方

フィードバックループはどうやってつくるのだろう？ ビジネスの世界のわかりやすい例として、社内会議を考えてみよう。社内会議は、けっして改善しない人間の取り組みの好例だ。会議は日々何度も行われるが、マイケル・ジョーダンが言うように、「1日8時間シュートの練習をしたって、そもそものやり方が間違っていれば、下手なシュートの名人になるだけ」だ。

会議のためのフィードバックグループをつくった会社がある。インディアナ州フォートウェインの総勢40人の会計事務所、サミット会計士グループだ。

この会社は2013年に全社員に在宅勤務を許可した。この決定は社員には好評だったが、思わぬ影響をおよぼした。社員同士が会社で顔を合わせなくなったので、オンライン会議が主な交流の手段になった。

最初は会議にありがちな問題が起こった。

「話の長い社員が発言を独占してしまったんです」と、サミットの共同創業者ジョディ・グランデンは言う。「残りの人たちはほとんど発言しなくなりました」

さらに悪いことに、発言を独占したのは不平や文句の多い人たちだった。あまりに不毛なやりとりに耐えきれずに、会社を辞めてしまう社員もいたほどだ。

そこでやり方を変えた。毎回進行役を決め、新しいきっちりとした進行表に沿って会議を進めるようにした。

一例として、参加者一人ひとりが前の週の「よかったこと」を発表した。最初のうちは気恥ずかしさに発言をパスしたがる人もいたが、そのうち習慣になった。明るい面に目を向けることで雰囲気がよくなったし、さらによいことに、会議が学びの場になった。手強い顧客との交渉法から、報告書を短くまとめる方法まで、さまざまなコツを教え合った。

そのうえで、フィードバックループを取り入れた。会議が終わると、参加者同士で、**その日の会議を1から5までの数字で声に出して評価するようにした**のだ。

極端な点数をつけた人は、何がよかったのか、あるいは悪かったのかを説明する決まりにした。たとえば議論が長すぎた、問題が解決しなかったといったことが問題であれば、その場で対策が取られた。

フィードバックループをつくったおかげで、会議は着実に改善されていった。いまでは5点中4・9点がつけられることも珍しくないという。

「上流介入を行うべきか」を判断する質問

この章は、「害をおよぼさないためにはどうするか?」という問いから始めた。活動の二次的影響を予測しようとする賢明なリーダーたちの取り組み(アイランドコンサベーションのフードウェブや、ニューヨーク市のクレイムスタットで明らかになったデータのパターン)を紹介した。また、すべてを予測することは不可能だから、フィードバックループを利用して入念な実験を行う必要があることも説明した。

これらの考えをもとに、上流介入を行うべきかどうかを判断するための手引きとして、次の問いを考えるといい。

・過去に似たような介入が行われた例があるか（その結果や、二次的影響についてわかったことを参考にできないか）。
・介入を試験的に実施できるか（アイデアが間違っていた場合の悪影響を最小限にとどめるために、まずは小さな規模で試せないか）。
・フィードバックループをつくって、すばやく改善していけるか。
・意図せざる害をおよぼしてしまった場合、介入を簡単に取り消したり、元に戻したりすることができるか。

これらの問いに「ノー」の答えが1つでもあるなら、先に進む前にじっくり考えた方がいい。念のために言っておくと、図書館で開放型オフィスを試すのと、科学者が遺伝子編集技術を使って動物を改変するのとでは、同じ「実験」でもまったく違う。

またこの章で説明する実験重視の考え方を、シリコンバレー式の「すばやく動いてぶっ壊せ」の精神と混同しないでほしい。

上流活動の成功は、謙虚さを持てるかどうかにかかっている。

どんなに単純な介入も、たちまち複雑になることが多い。一例として、一見ごく単純な介入に思える、使い捨てのプラスチック製レジ袋削減の取り組みを考えてみよう。

環境保護主義者は、レジ袋をテコの支点と考える。レジ袋は、量的には膨大なプラスチック廃棄物のほんの一部でしかないが、多大な悪影響をおよぼしているからだ。

軽くて風に飛ばされやすいので、河川や雨水管を伝って海に流れ込む。海洋生物を危険にさらし、海岸の美観を損なう。

それにレジ袋は、「反持続可能性」のシンボルと言える。工場で製造されるプラスチック製レジ袋は、分解されるまでに数百年かかるかもしれない。それをアメリカは年間1000億枚も製造している。レジ袋は店で買った物を家に持ち帰りやすくするためだけに存在し、役目を終えればたちまちゴミになる。だから解決策は簡単だ——レジ袋をなくせばいい。

「レジ袋」を禁止したら何が起こったか？

システム思考ではまず、「どんな二次的影響が予想されるだろう？　レジ袋が禁止されたら、何がその穴を埋めるのだろう？」と考える。

消費者はおそらく、①紙袋の利用を増やす、②エコバッグを持参する、③袋を使わなくなる、のどれかの行動を取るだろう。

ここで、最初の驚きがやってくる。紙袋やエコバッグは、水路に入り込まないという点ではレジ袋よりずっと優れているが、劣っている点もあるのだ。

それらはレジ袋より嵩（かさ）も重さもあるので、製造と輸送にずっと多くのエネルギーを消費し、炭素排出量が増える。イギリス環境省は、さまざまな種類の袋を１回使用するごとの環境負荷を算出し、紙袋なら３回、綿のエコバッグなら１３１回使わなければ、レジ袋よりもエコにならないとしている。

おまけに紙袋やエコバッグの製造過程は、レジ袋に比べて大気や水質を汚染する物質の排出が多い。レジ袋に比べてリサイクルもずっと難しい。

そんなこんなで、**部分と全体の利益相反の問題が生じる**。河川や海の生物の保護が主な狙いなら、レジ袋を禁止するのは得策だ。だが環境全体の改善をめざすなら、得策とは言い切れない。相反する影響を考え合わせる必要がある。

もうひとつの難しい点として、禁止を実行する方法についても、とても慎重に考えなくてはならない。シカゴでは２０１４年に、小売店での薄い使い捨てレジ袋の無料配布が禁止された。小売店はどう対応したか？　厚いレジ袋を配布したのだ。厚いレジ袋なら再利用できるという触れ込みだったが、もちろんほとんどの客がすぐに捨ててしまった。これもコブラ効果だ。環境からプラスチックを追放するつもりが、かえって増やす結果になってしまった。

実験は学習につながり、学習はさらによい実験につながる。カリフォルニア州では2016年に住民投票でレジ袋の全面禁止が決まった。厚い袋の抜け穴もなかった。だが禁止後に、ゴミ箱用の小さいポリ袋の売上が急増した（おそらく店から持ち帰ったレジ袋を、家のゴミ袋にしたり、飼い犬の糞を拾ったりするのに使っていた人が一定数いたのだろう。だからレジ袋がなくなると、代用品を買い始めた）。

経済学者レベッカ・テイラーの研究によると、このケースではレジ袋禁止によってプラスチックゴミは削減されたが、ほかの袋の使用が増えたせいで削減効果の28・5％が相殺されたという。

だがたとえそうだとしても、相殺されたのは100％ではなく、28・5％にすぎない。禁止によって使い捨てのプラスチックゴミが大幅に減ったことは間違いない（おまけに、この問題を分析するために誰かがレジ袋の代用品の売上を注意深く追跡してくれたおかげで、フィードバックの情報源が1つ増えた）。

予想もしなかった影響も生じた。2017年にサンディエゴで危険なA型肝炎が流行したのは、レジ袋が不足したせいとも言われる。なぜだろう？　ホームレスの人は排泄にレジ袋を使う習慣があった。レジ袋が手に入りにくくなると、排泄物を衛生的に処理できなくなったのだ。

「学習を続ける」ことで前進できる

僕がこの研究を調べ始めたときに感じた、圧倒されるような、がっかりするような、いらいらするような気持ちを、もしかするとあなたも持ったかもしれない。ただのレジ袋の政策でさえ、複雑きわまりない影響をおよぼすのなら、困難な問題を解決できる望みなどあるのだろうか？

僕を袋小路から引っ張り出してくれたのは、**「ごまかしたり固まったりせずに学ぼう」**という、ドネラ・メドウズの呼びかけだった。僕らは困難のなかにあっても、何かを学んでいる。社会全体として学習しつつあるのだ。

たとえばレジ袋禁止政策の影響を分析するために、何が必要かを考えてみよう。コンピュータシステム、データ収集、通信インフラ、それにもちろん、市や州の政策の効果を評価するための実験を考案する知的な人々の生態系。エビデンスを得るためのこうしたインフラが存在するようになったのは、人間の長い歴史のうちのごく最近のことにすぎない。上流思考に関する限り、僕らはまだゲームに参加し始めたばかりなのだ。

シカゴでは２０１６年に、コブラ効果を生んだレジ袋禁止条例が廃止された。代わって市議会は、レジで配布される紙袋とレジ袋１枚につき7セントの税金を徴収することを決定し、2017年初頭から実施している。効果はどうだろう？　それが結構うまくいっているのだ。

経済学者のタティアナ・ホモノフ率いる研究チームが、数軒の大規模食料品店から収集したデータによると、税金導入前に紙袋やレジ袋を使っていたのは買い物客の10人中約8人だったが、導入後は10人中約5人に減った。袋を使わなくなった3人はどうしたのか？　半数は持参したエコバッグを使い、半数は購入品を袋に入れずに持ち帰った。そして袋を使い続ける5人が税を払ってくれるおかげで、市民サービスの原資が増えた。

シカゴはまず薄いレジ袋を禁止することによって、実験を行った。最初は失敗したが、失敗の理由はわかった。そこで別の実験を行い、成功したのだ。失敗したやり方を、今後ほかの市が繰り返さないことを願いたい。

試行錯誤は時間がかかり、退屈でいらだたしいが、僕らは全体としてシステムについての理解を深めつつある。

この章はドネラ・メドウズの言葉で結びたい。

「システムを制御することはできないが、設計することや、設計し直すことはできる。驚きのない世界へと確信を持って突き進むことはできないが、驚きを予測し、そこから学ぶことはできるし、利益を得ることさえできる。……システムを制御したり、完全に理解したりすることはできないが、システムとともに踊ることはできるのだ！」

CHAPTER

11

誰が「起こっていないこと」のために お金を払うか？

——「払った人が得をする」仕組みをつくる

ミシガン州バトルクリーク市で行われた公衆衛生会議で、州保健委員会のA・アーノルド・クラーク教授が、予防への投資がおろそかにされがちな風潮に苦言を呈した。

「ミシガン州で実際にどれくらいのお金が病気の予防に費やされているのかを見てみましょう。バトルクリーク市ではいくら費やされていると思いますか？　市には約45人の医師がいます。彼らの平均年収を約20万ドルとすると、みなさんはかかった病気を治してもらうのに、年に9億ドル支払っていることになります。

では病気の予防についてはどうでしょう？　せいぜい年に5万ドルでしょうね。バトルクリークには衛生責任者が1人いるので、みなさんが感染症予防のために支払う金額はおそらく年に5万ドルほどでしょう。ですが、予防は治療に勝るのです。……自分はこれまで生きてこられたのだから、これからも病気や死の予防にお金をかける必要はない、などと考える人がいます。生命保険の掛け金を20年払い続けたが何の見返りもない、と言って保険を解約する人もいます。まさにそれが、市や州、国にありがちな方針なのです」

平均寿命が劇的に延びた理由

クラーク教授がこの演説を行ったのは、1890年のことだ（金額をいまのお金に換算しただけで、発言のそれ以外の部分は変えていない）。公衆衛生の専門家がいまでも「予防は治療に勝る」と訴え続けているという事実が、予防医療の現状を物語っている。

まったく腹立たしい限りだ。クラーク教授がこの演説をしてからの130年間に、予防と公衆衛生の有効性を示す決定的な証拠が積み上がっているというのに。平均寿命ひとつとってみても、その絶大な効果がわかる。

1900年に47・3歳だったアメリカ人の出生時平均寿命は、2000年には76・8歳になった。大幅に延びているのは明らかだが、この数字が何を意味するのか、しないのかをはっきりさせておこう。

「平均寿命」とは、人口全体の寿命の平均値を言う。人口が5人で、それぞれの人が75歳、

91歳、70歳、66歳、82歳まで生きた場合の平均寿命は、76・8歳になる。平均するとばらつきが目立たなくなる（あたりまえだと思っても、このまま読み進めてほしい）。

だが平均は、その背後にある現実をあいまいにするだけでなく、覆い隠してしまうこともある。たとえば僕はいつも驚いてしまうのだが、どんなに知的な人でも、「1900年の平均寿命は47・3歳だった」と聞けば、「当時はほとんどの人がいまよりずっと短命だったのか」と考えがちだ。祖先は40代半ばで杖をつき、入れ歯をはめ、身の回りのことができなくなったのだと想像する。

そう考えると、1935年の社会保障法成立は、笑えない冗談に見えてしまう。65歳から年金を受け取れるだと？　死後20年も経ってるじゃないか！

だが実際には、当時の人の典型的な寿命は、「46歳、48歳、56歳、39歳、48歳」といったものではなかった。むしろ「61歳、70歳、75歳、31歳、0歳」といった感じだった。世紀の変わり目の1900年には、子どものほぼ5人に1人が5歳の誕生日を迎えられずに亡くなっていたのだ。

現代人の自然寿命は、100年前と比べてほとんど変わっていない。変わったのは多くの人、とくに乳幼児が、早死を免れるようになったことだ。

この点について、クラーク教授はさっきの演説で「感染症予防」を強調していた。なぜなら彼の時代には肺炎やインフルエンザ、結核、ジフテリアなどの感染性疾患が、死因の

3分の1を占めていたからだ。そして感染症は、とくに子どもの命を奪うことが多かった。感染症で死ぬ人の割合は、1900年の約33％から2010年には3％を切るまでに低下している。

ここまで低下した原因は何だろう？　上流活動だ。

衛生状態や水質の改善、低温殺菌法の開発、生活環境の向上、下水道の普及、抗生剤やワクチンの開発といった上流の取り組みが功を奏したのだ。

うまくいくほど「冷遇」される

だがこれほどの成功にもかかわらず――こうした活動がなければ、あなたの家系の子どもの5人に1人が早死していた――公衆衛生はいまも資金難にあえいでいる。

「健康増進や、病気やケガ、早死の予防のためのサービスや政策には、十分な投資が行われていません」と、公衆衛生政策組織アメリカ健康財団の代表ジョン・アワバックは言う。「実に残念なことです」。同財団の推定によると、2017年のアメリカの公衆衛生への支出総額は889億ドルで、医療支出総額のわずか2・5％だった。

公衆衛生活動は、まるで「成功した罰」を受けているようなものだ。

「公衆衛生で成果を上げると、誰も病気になっていないじゃないかと言って、予算を削られるんです」と語るのは、医師で、アメリカ陸軍の国際的な保健計画や感染症対策の運営に携わってきたジュリー・パヴリンだ。この発言は問題の核心を突いている。「出来高払い」方式の医療では、予防より対応が優先されがちなのだ。

「私たちはインスリンには1人年間4万ドルも支払うのに、糖尿病予防には1000ドルもかけていません」と、メディケア・メディケイド・サービスセンター（CMS）の元副局長パトリック・コンウェイは言う。「医療の『価値』に対して報酬を支払う方式に変えるべきです。たとえば、クルマの製造に時間がかかればかかるほど、値段が高くなったらどうでしょう。そんなのばかげています。クルマの値段がそんなふうに決まったら、改良も進まないし、安くもなりませんよ」

アメリカは世界で最もMRI検査を利用しやすい国と言われる。ほかの国より早く、より頻繁にMRI検査を受けられるのだ（USA！　USA！）。だがこれを自慢するのは、アメリカが空港で身体検査されることが世界一多い国だと言って自慢するようなものだ。

もちろん、病気を見つける必要がある場合は、早く見つけるに越したことはないが、**MRI検査を最も必要としない国になる方がいいに決まっている**（それに韓国の甲状腺がんの例が示すように、検査をしすぎると、見つける必要のないものまで見つけてしまうことがある）。

アメリカのMRI検査の普及は、出来高払い方式の診療報酬体系の影響を端的に表している。人は何かをすることで報酬を得られるとき、それをどんどんやってしまう（アメリカが「歯科用レントゲン」で世界首位なのもうなずける。運輸保安局の職員が身体検査をするたびに報酬をもらえたら同じことが起こるだろう)。

「惰性」という壁がある

ひと言で言えば、事後対応の取り組みが成功したと言えるのは、起こった問題が解決したときだ。これに対し、予防の取り組みが成功するのは、何かが起こらなかったときだ。誰がまだ起こっていないことのためにお金を払うというのか?

これは答えられない問題ではない。何かを防止するためにお金を払う人は現にいる(あなたもだ! オイル交換はオイル漏れを防止するために行う)。

だが**上流活動の報酬体系を考えるのは、信じられないほどややこしい仕事だ**。なぜなのかをこれから説明しよう。

とはいえ、上流活動の費用を負担することは、本来「単純であるべき」だということは肝に銘じておきたい。ロサンゼルスの下町の食堂、ポピー+ローズを例に取ろう。

この食堂の共同経営者ダイアナ・インは、顧客の意見や感想にいつも注意を払っていた。あるときのこと、ブランチに冷めたワッフルが出てきたという苦情をネットで見つけた。調べてみると、キッチンにはワッフル焼き器が1台しかなく、ブランチ時の需要に間に合わないので、店が混む前に料理人がワッフルをつくり置きしていたことがわかった。

賢い方法だが、そのせいで冷めたワッフルを出す羽目になった。冷めたワッフルが好きな人などいない。そこで、2台目のワッフル焼き器を購入した。

この状況は、予防活動の費用負担という観点からは理想的と言える。単純このうえない。お金を出した食堂が利益も得る。「ポケット」にたとえると、あるポケットからお金が出ていき、同じポケットに戻るということだ。食堂は投資をすぐに回収できるだろう。

この「同じポケット」の論理は、あなたがこれまで行ってきた免許や学位への投資にも当然当てはまる。将来の見返りを期待して、今日数千ドルを投資する。


だが話はすぐにややこしくなる。ポケットが同じだからといって、賢明な上流投資が行われる保証はないのだ。例を挙げよう。

昔から介護施設の介護士は、患者を持ち上げたり運んだりするたびに腰を痛めてきた。もちろん困るのは介護士だが、介護士を雇う側にもお金がかかる。介護士の欠勤や労災補償に対応しなくてはならないからだ。

この問題を解決するために、患者移動装置が開発された。だが介護施設側にしてみれば、この投資は「はい、そうですか」とすんなり受け入れられるようなものではなかった。

装置はとても高価だし、まったく新しい手順を必要とする。新しい装置を使って患者を動かす方法を一から学ぶ必要があるうえ、従来の腰を踏ん張る方法に比べて時間もかかる。そんな手間と費用をかけてまで導入する価値があるのだろうか？ **「トンネル」の中にとどまって、誰かがときおり腰痛になるのも仕方ないとあきらめる方が楽だった。**

しかし1990年代末に、ある分析調査により意外な事実が明らかになった。介護士がこの装置を使って、研究で実証済みの方法に従って患者を動かせば、介護施設は欠勤と労災補償に関わる費用を3分の1に減らすことができ、その結果、装置への投資は3年以内に回収できるというのだ。

この分析結果が介護業界に広まると、多くの介護施設が新しい方法を導入し、腰痛発生件数は2003年から2009年までの間に35％も減少したと、疾病予防管理センター（CDC）は報告している。

この事例は食堂の例とどこが違うのか。

介護施設の「ポケット」は1つだった。だが、患者移動装置を購入するかどうかの判断は、ワッフル焼き器の場合よりずっと複雑だった。介護施設が単独で投資を評価することは難しく、介護業界全体から集めたエビデンスに基づく幅広い視点が必要だった。「この装置には値段に見合う価値が十分にある！」という確証が必要だった。

このような、投資への見返りが十分に期待できるごく単純な事例でも、惰性が予防の邪魔をしたのだ。

子どもを助ける合理的な方法

次はこの正反対の例として、社会福祉事業の費用負担方法を考案するという、頭がおかしくなるほど複雑な試みを、看護師家庭訪問プログラム（NFP）を例に取って見てみよう。

NFPは1970年代にデイヴィッド・オールズという、大学を卒業したばかりの男性が、勤務していた都心部の貧困地区の託児所に幻滅して始めたプログラムだ。

託児所に通う就学前児童の多くが、親の誤った選択のせいで苦しんでいた。ある子どもは言葉の発達が遅れ、主にうなり声で意思疎通を図っていた。その子の祖母の話では、子どもの母親は麻薬中毒で、妊娠中も麻薬を常用していたという。別の子どもはおねしょをするたび母親に殴られていたせいで、託児所でのお昼寝時にいつもうなされていた。

オールズは思った。もっと早い時期に手を打っていれば、子どもの助けになれたのではないだろうか。**子どもを助けるいちばんの方法は、母親に手をさしのべること**だと、オールズは確信した。

彼が見ていたような児童虐待は、残酷さより無知が原因で起こる。母親たちは育児の情報も方法も知らなかった。支援制度もなく、手本になる人もいなかった。だから育児につきものの苛立ちや怒りをどうやって抑えればいいのかわからなかったのだ。

オールズが立ち上げたNFPというプログラムは、正看護師に低所得層の初産の女性を割り当てる。妊娠中から子どもが2歳になるまで、同じ看護師が女性の家庭を定期訪問する。看護師が指南役となって、育児のストレスに向き合えるように手を貸すのだ。

子どもがぐずったらどうするか、眠らないときはどうするか、規則正しい生活をさせるにはどうするかを母親に教える。授乳の仕方やおくるみの巻き方、離乳や歯みがきの方法などの基礎知識を伝授する。

育児指導をするだけでなく、一人の思いやりある人間として、母親に寄り添い支えることも、看護師の仕事の重要な部分を占めている。「子どもの面倒を見るためには、まず自分の面倒を見なくてはならない」と教える。仕事と育児を両立させる困難を乗り越えられるよう手を貸し、人生の重圧に押しつぶされそうな母親の悩みに耳を傾ける。

NFPの大規模なランダム化比較試験が、ニューヨーク州エルミラ、テネシー州メンフィス、コロラド州デンバーの3か所で実施され、NFPが母親の健康状態と、子どもの安全と福祉を一貫して改善することが示された。

具体的な効果として、妊娠中の喫煙率や、早産率と乳児死亡率、幼児虐待とネグレクトの発生率、母親の犯罪率、フードスタンプ（食費補助）の受給率、間隔を空けない妊娠率

（18か月以内に次の子どもを出産する確率）がすべて低下した。ある研究の推定によれば、NFPに1ドル投資するごとに、6ドル50セントを超える見返りが得られるという。

これほど簡単な投資決定があるだろうか？　たとえ6ドル50セントの見返りを得るために20年かかるとしても、年利に換算すれば約10％になる。こうした研究結果を見れば、NFPはアメリカの低所得層の初産婦のすべての希望者に提供されていると思うかもしれない。だが、まったくそうではないのだ。なぜだろう？

「違うポケット」にお金が行くという問題

ワッフル焼き器の単純な例では、投資した人が利益を得た。同じポケットだ。**だがNFPでは、見返りが分散していることに注目してほしい。**

もちろん、主に利益を得るのは第一に子どもで、次が母親だが、どちらも費用を負担することはできない。ほかに利益を得るのは誰だろう？　NFPがなかった場合の悪い状態に対処しなくてはならない、すべての関係者だ。3つの例を挙げよう。

1. 早産が減少すれば、未熟児の集中治療費を負担するメディケイドが利益を得る。
2. 犯罪が減少すれば、司法制度にとって節約になるし（警察、裁判所、刑務所の負担が軽くなる）、もちろん一般市民も利益を得る。

3．SNAP（フードスタンプに取って代わった、補助的栄養支援プログラム）の支払いが減れば、SNAPの運営主体である農務省が利益を得る。

これらの3つの主体のほかにも、多くの関係者が利益を得る。健康や教育、所得などの面でさまざまな波及効果が期待できる。誰もが得をするのだ！

たとえば、地元の医療機関に、NFPへの投資を要請するとしよう。NFPは母親1人当たり約1万ドルもの費用がかかる高価なプログラムだ。残念なことに、この医療機関は投資からわずかな利益しか得られない。主に利益を得るのは、ここまで説明してきた関係者なのだ。

これが、介入の費用を負担する主体が主な利益を得ない状況、すなわち「違うポケット」の問題だ。**お金は1つのポケットから出るが、見返りは多くのポケットに分散して入る**。この問題を解決するには、利益を得る関係者全員に募金箱を回して、集まったお金をNFPに渡せれば理想的だ。だがこんな反対が上がるに決まっている。

前例がない。「いつか見返りがあるかもしれない計画」にお金を出す余裕などない。もし計画が失敗して、下流のコスト削減にならなかったらお金を返してくれるのか？　などなど。

なぜＮＦＰのような、大いに社会のためになる計画に相応の資金が集まらないのか、わかってもらえただろうか。

投資者が「見返り」を得る仕組みをつくる

だが目下、違うポケットの問題を解決するための実験が進められている。ＮＦＰはサウスカロライナ州のチームが開発した「成果連動型」モデルを用いて、活動を広く拡大するための資金を調達しようとしている。

簡単に説明しよう。ＮＦＰは２０１６年に、サウスカロライナ州内で活動を広げるために３０００万ドルの資金を調達した。活動の成果は６年かけてランダム化比較試験で評価され、あらかじめ合意された複数の指標で成功したと判定されれば、その後は州政府から継続的に活動資金が提供される。

この取り組みのいいところは、州政府が事前に大きな金銭的リスクを負わずにすむ点だ。試行段階の活動資金は、主に外部から調達された。ＮＦＰに投資する価値があることが証明されれば、サウスカロライナ州は見返りを得るし、失敗だとわかった場合もたいして損はしない。

この取り組みは、概念としては理解しやすいが、細部はとんでもなく複雑だった。

「すべての関係者が、初日から何の疑問もなくすんなり活動に取りかかれるように、ルールを整備する必要があり、その準備だけで3年もかかりました」と、当時のサウスカロライナ州保健福祉局長、クリスチャン・ソーラは言う。

どれだけ大変だったかは、活動に参加した関係者の多岐にわたる顔ぶれからもわかる。サウスカロライナ州のNFPチームに、保健福祉局、アブドゥル・ラティフ・ジャミール貧困アクションラボ、ハーバード大学ケネディスクール政府業績評価研究所、コンサルティング会社のソーシャルファイナンス、デューク基金、サウスカロライナ・ブルークロス・ブルーシールド基金（これはほんの代表例で、リストはまだまだ続く）。

ソーラによれば、このときの話し合いでは次の問いに答えを出そうとしたという。

「政府のさまざまな助成制度を利用して、この拡大する価値のある活動の資金を得るにはどうしたらいいだろう、と考えました。連邦と州が助成制度に設けている複雑な制限をかいくぐるという、不条理な悪夢でしたよ」

この取り組みには大きな期待が寄せられている。NFPは最初の資金だけで3200人の母親を、妊娠中から子どもが2歳になるまでサポートすることができる。子どもはNFPのおかげで、より幸せで健康的な家庭で育つだろう。母親と子どもはとても大きな見返りを得るはずだ。

また長期的にさらに重要なこととして、この取り組みによって「違うポケット」の呪縛から逃れることができる。NFPが期待にかなう結果を出せば、投資の見返りが明らかになるから、州と連邦政府は活動に持続的に資金を提供していきたいと考えるはずだ。

また全米に高リスクの母親を抱える州があと49もあることから、この先も拡大の余地は無限と言っていいほどある。そう考えれば、主要関係者は3年もの準備に見合う十分な利益を得られるだろう。

身近な問題を上流で解決する

問題の事後対応にお金をかける方法もあるが、問題が起こる前の予防活動にお金をかける方法もある。いま必要なのは、**予防活動をさらに促すために、費用負担の方式を必要に応じて切り替える方法**を考案できる、ビジネス起業家や社会起業家だ。

これを実現するためのヒントになる、ちょっとした出来事が僕にも起こった。

僕たち夫婦は数年前に害虫駆除を「上流」方式に切り替えた。クモの退治に困って害虫駆除業者を呼んだところ、定期サービスはどうですかと勧められた。いちいち電話で呼ばなくても業者が定期的にやってきて、長年の経験から得た最高のノウハウをもとに、薬剤を散布して害虫を寄せつけないようにしてくれるという。

最初は「ボラれてるんじゃないか?」と半信半疑だった。だが決め手となったのは、日常の悩み事から「害虫」を取り除けるという、すばらしい展望だった。

僕らは定期サービスを申し込み、日常から小さなごたごたを1つ取り除いた。「害虫発生→駆除→放置」(の繰り返し)から解放されたのだ。害虫駆除は静かで目立たない定期的な作業になった。維持管理→維持管理→維持管理だ。

そして僕はふと思った。**世界中の住宅修繕の大半が、上流の維持管理がまずいせいで発生しているのではないかと。**エアコンはフィルターを定期的に交換しなければ早く壊れる。温水ヒーターは排水を怠ると壊れやすい。* トイレや雨どい、屋根の問題の多くも予防できるのではないだろうか? 車を買ってから一度もオイル交換をしたことがない人がいるように、家のメンテナンスをさぼっている人も一定数いる。

もし家のメンテナンスに「当事者意識」を持ってくれる人がいたらどうだろう? もし誰かが家庭の大きな電化製品や機器を機能させる責任を肩代わりしてくれると言ったら、あなたは毎月決まったお金を払ってサービスを受けたいだろうか? それも、ずっと継続的に?

「費用負担」の3つの問題

これをビジネスにした大手企業が、少なくとも1社ある。「家事サービス業界は昔からほとんど変わっていません」と、ANGIホームサービスのCEOブランドン・リデナワーは言う。同社は住宅の修繕と改装を請け負うウェブサイト、「ホームアドバイザー」と「アンジーズリスト」の運営会社だ。

「50年前とやり方がほとんど同じなんです。ある日突然問題が起こり、対症療法的に対応する。『配管工を、電気技師を、便利屋を呼ばなきゃ』とね。慌てて電話帳を調べ、友人に聞き回り、そして当社のようなサービスを利用するわけです」

だがリデナワーは、定期サービスが消費者に受け入れられる時代になったのではないかと考えた。危機が発生する瞬間まで待たずに、予防のためのサービスを定期的に受けるのだ。

「大富豪は邸宅に管理人を置いていますよね」とリデナワー。「管理会社と契約してサービスを年中受けているんです」

ビヨンセは配管工を呼んだりしない、ということだ。

こうした邸宅管理人の仕事の多くは自動化できると、リデナワーは考えた。データを分析して、維持管理が必要になる時期を予測し、「ホームアドバイザー」の膨大なデータベ

＊ 僕の親戚の実話。ヘアドライヤーが動かなくなったので、どうしたものかと家族で話し合った。いろんな案を試したが、どうしても動かない。とうとう誰かが訊ねた。「ほこり取りのフィルターは、もちろん掃除してるよね？」「……フィルターって何？」

ースを利用して、それぞれの作業に適した提携業者を割り当てる。「邸宅管理を万人に提供できないかと考えました」と彼は言う。

上流活動の費用負担についての問題は、次の3つの問いに集約できる。

「お金のかかる問題が発生している場所はどこか?」

「その問題を防止できる最適な立場にいるのは誰か?」

「彼らにその仕事をさせるには、どんな報酬方式が必要か?」

リデナワーの考えには一理あるようだ。

維持管理ができる最適な立場にいるのは、住宅所有者ではなく、「ホームアドバイザー」(やそれに似た存在)だ。住宅所有者のなかには器用な人もいるが、膨大な数の住宅から集めた情報をもとに予防的管理を計画することは個人にはできない。

この方式には大きな価値が眠っている。大きな電化製品など家の設備の早すぎる故障を防ぐことができれば、住宅所有者にとっては節約になり、ホームアドバイザーにとっては利益になる。

「予防」に力を入れさせるには?

この3つの問いを医療に当てはめてみよう。

「お金のかかる問題が発生している場所はどこか？」

一例として高齢者・障害者向け公的医療保険のメディケアは、予防できたはずの病気の診察や治療に莫大な資金を投じている（たとえば、糖尿病のコントロールができていれば通院の必要はなかった）。

「その問題を防止できる最適な立場にいるのは誰か？」

病院ではない。病院は具合が悪くなってからしか患者と関わらない。患者でもない。患者は医療の専門家ではない（住宅所有者が住宅メンテの専門家でないのと同じように）。この問題を防止できる最適な立場にいるのは、患者のかかりつけのプライマリケア医（一次医療機関）だ。

「彼らにその仕事をさせるには、どんな報酬方式が必要か？」

2010年医療保険制度改革法〔通称「オバマケア」〕で導入された、ACO（責任ある医療組織）という方式を見てみよう。

ACOにはいろんな種類があるが、そのうちの1つをごく簡単に説明する（それ以外の部分は信じがたいほど複雑だ）。

患者の最寄りの診療所や医院で初期診療を担うプライマリケア医が集まって、ACOを結成する。するとメディケアがこう言ってくる。

「あなた方の患者さんが1年にどれだけ病院（二次医療機関）で専門診療を受診しているか、

メディケアがその費用をいくら負担しているかを、私たちは把握しています。だから患者の健康を管理して、高額な専門診療の受診回数を減らしてくれれば、私たちの節約分をいくらか差し上げますよ」と。

「ＡＣＯができる前は、プライマリケア医は患者が病院で受診せずにすむよう努力しても、一銭ももらえませんでした」と、医師のＡＣＯ設立を支援する会社、アレデードのＣＥＯファルザード・モスタシャリは言う。「でもＡＣＯ方式では、プライマリケア医が時間当たりの診察数を増やすことにとらわれずに、患者やその家族の話をじっくり聞けるんです」

ウエストバージニア州の医院でプライマリケア医をしているジョナサン・リリーは、ＡＣＯ方式になってから診療方針がすっかり変わったと言う。以前は1日に25人から30人の患者を診察していたのが、20人ほどに減り、一人ひとりにもっと時間をかけられるようになった。

いまではリリーに限らず多くのＡＣＯ加盟医が、対症療法的な姿勢から予防的な姿勢に変わり、患者の血糖値や血圧、体重を監視して、数値が正しい方向に向かうよう気を配っている。また患者にとってより身近な存在になれるよう心がけている。

患者を病院に行かせたくなければ、いつでも最寄りのプライマリケア医の診察が受けられる体制を整えなくてはならない。だからいまでは夜間や週末にも診察を行い、患者が予約なしでも確実に診てもらえる「優先診察」も行っている。

「不要なこと」をする動機をなくす

「こんな診療体制を取ったのは初めてです」と、リリーは話してくれた。「私は家庭のかかりつけ医になりたい、ゲートキーパー（初期診療を担い、入院や専門外来を必要とする人を病院に紹介する役割）になりたい、そしてきちんとしたやり方で仕事がしたい、といつも思っていました。この方式ではそれができるんです」

リリーをはじめとするＡＣＯ加盟医は、この方式で大きな成果を上げている。患者の健康が改善し、初期診療の満足度が高まり、病院の受診回数は減っている。その結果、メディケアの出費が減ったため、ＡＣＯにはコスト削減額の一部が還元され、リリーは手取りが増えた。

上流の健康促進活動にお金を払うやり方には、ほかにも有望で革新的な手法がある。最近では「人頭払い」方式にも関心が集まっている。これは１２００万人の加入者を持つ医療グループ、カイザーパーマネンテなどが採用する支払方式だ。

カイザーパーマネンテは保険会社でありながら医療施設も運営するユニークな存在だ。保険の加入者（またはその雇用者）は、カイザーパーマネンテに毎月掛け金を支払い、病気になるとグループ内の医師に診てもらう。

この仕組みのおかげで、カイザーパーマネンテは医療業界につきものの緊張関係を回避できている。

一般に医療提供者（医師）は保険会社にできるだけ大きな額を請求したいが、保険会社は支払いをできるだけ抑えたい。そのため、どの処置に保険が適用されるのか、どのようなかたちで払い戻されるのかをめぐって駆け引きが絶えない。

カイザーパーマネンテの医療提供者は、診察患者1人につき一律の金額を支払われ（ただしリスク調整後の報酬は、25歳の患者より高齢者を診た方が多い）、その患者に必要なすべてのケアを提供する。これが人頭払い方式である。

カイザーパーマネンテの医師は、不要なMRI検査を指示する動機がない。むやみにMRI検査をしても報酬が増えるわけではないからだ。

では逆に、人頭払い方式は医療の「出し惜しみ」を招かないだろうか？　なにしろ提供する医療が少なければ少ないほど、医療提供者の利益になるのだ。

これを防ぐために、医師たちはアンディ・グローブの「二対比較法」（254ページ）のように、患者の健康の質と満足度を測る指標によっても評価される。患者の健康が悪化したり、患者が治療への不満を報告したりすれば、医師の受け取る報酬が減る仕組みだ。

「小さな変革」が「大きな効果」をもたらす

人頭払い方式は上流介入に道を開く。なぜなら予防にお金をかけるべき理由ができるからだ。カイザーパーマネンテに似た統合型医療システム、ペンシルベニアに本拠を置くガイシンガー・ヘルスシステムの例を紹介しよう。

ガイシンガーの糖尿病患者は、健康的な食品を取りそろえた食料品店、その名も「食品薬局」で無料で買い物ができる。

ガイシンガーはなぜ無料で食品を提供するのか？　糖尿病患者にとって、健康的な食品は薬になるからだ。

またガイシンガーにとっても、患者が下流で糖尿病の合併症を起こし、ずっと高額な治療が必要になる事態を防げるなら、健康的な食品にお金を出しても十分元は取れる。

アメリカの医療制度はよりよい報酬体系に向かって少しずつ進んでいる。これらの取り組みの成功を踏まえて、SECTION2「『上流リーダー』になれる7つの質問」で学んだ教訓を振り返ってみよう。

問題を防止するためには、上流のリーダーはしかるべき人たち（介護士、保険業者、患者など）をまとめなくてはならない。

テコの支点を見つけ、システムの変革を促さなくてはならない（不要な入院を減らそうとするACOの取り組みなど）。

問題を早く発見しなくてはならない（血糖値管理などによって）。

成否を測るための方法を考案し、「幻の勝利」や意図せぬ影響を避けなくてはならない。

そして最後に、資金の流れについても考えなくてはならない。予防活動の費用負担者を探す方法を考えるということだ。

多くの難題を切り抜けなくてはならない。長くつらい道のりになるだろう。だが苦労するだけの価値はある。なぜなら医療の世界はとてつもなく規模が大きいからだ。3兆5000億ドル規模の医療業界のたった1%が、ナイキの2018年度の世界全体の売上高にも匹敵する。

巨大システム内のほんの小さな変革が大きな効果を生むかもしれない。力を合わせて上流に向かえば、健康維持が病気の治療と同じくらい重視される世界に近づくことができるのだ。

SECTION 3

さらに上流へ

- 予言者のジレンマ

CHAPTER 12

予言者のジレンマ

――「いまそこにない危機」に対処する

1999年にVHSで発売された、不吉なビデオがある。この中で黒ずくめの衣装に身を包んだ、『スタートレック』のミスター・スポック役で有名な俳優のレナード・ニモイが、重々しい口調で未来について語っている。

「地球上で最も高度だったとされる文明を伝える、古い神話があります。……しかしその神話は突然、この文明が消滅したと明かして終わります。彼らの革新的技術は人間の判断力と予見力、そして人間のはかなさを凌駕していたために、その巨大な島ごと海底に沈んでしまったというのです。

この伝説の文明とはもちろん、アトランティスです。

しかし１９９９年のいま私たちを悩ませている問題は……電力供給や衛星通信、水道、医療、輸送、食品流通、その他人間の生存に欠かせないさまざまなものごとが絡む、現実の地球規模の問題です。現実の人間の不注意のせいで起こった問題です。Ｙ２Ｋ問題、つまり西暦２０００年問題と呼ばれる問題です。生活の基盤技術を動かしている何十億行ものコンピュータコードや内蔵マイクロチップが、１９９９年12月31日と２０００年１月１日の間のほんの一瞬に誤作動し、さまざまな障害を起こすかもしれないという問題です。

アトランティスの運命が脳裏をよぎります。２０００年を目前に控えたいま、私たちの文明に突きつけられた問題はこれです――現代の最先端技術はあまりにも先進的になりすぎて、人間はそれを制御することも、その最終結果を予見することもできなくなってしまったのでしょうか？」

ネタバレすると、もちろん文明は２０００年問題のせいで２０００年１月１日に滅んだりしなかった。だが実際には何が起こったのだろう？　文明は救われたのだろうか、それとも、そもそも救う必要などなかったのか？

「２０００年問題」の裏側

この章では、これまで見てきた高校中退やホームレス、病気といった、何度も繰り返し起こる問題からは離れよう。こうした問題は謎めいてはいない。直接観察できるし、発生率も測定できる。

この章では防ぎようがない問題（ハリケーンなど）や、めったに起こらない問題（ITネットワークのハッキングなど）、とんでもなく現実離れした問題（新技術による人類滅亡など）に対処するための上流活動を見ていこう。

2000年問題は一度限りの問題だった。人間がかつて直面したことがなく、今後二度と直面することのない、新しい種類のコンピュータの問題だ。

アメリカで最悪の事態を防止する任を負ったのは、ジョン・コスキネン。民間企業再生の専門家で、1994年から1997年まで行政管理予算局の上級幹部だった人物だ。新たなミレニアムに入る22か月前の1998年2月、コスキネンはビル・クリントン大統領に請われ、2000年問題の責任者となった。

2000年問題責任者の任務は、「割に合わない仕事」の典型だった。コスキネンもそれをわかっていた。

「たとえすべてがうまくいったとしても、『あの騒ぎは何だったんだ？　あんなに時間とお金を無駄にして』と言われるのが関の山です。一方、すべてがうまくいかず、停電になり、信号が止まり、電話が不通になり、金融システムが機能を停止し、通信システムがダウンしたら、誰もが言い始めるはずです。『責任者のあいつ、なんて名前だったっけ？』

と」

残り2年を切り、人員も限られている状況で、政府のコンピュータシステムを直接修正するのは不可能だった。コスキネンにせいぜいできることといえば、**しかるべき人たちを集め、話し合いの場を設け、情報共有を促す**ことくらいのものだった。

就任するとさっそく、電力・通信業界、州・地方政府、医療業界などの産業分野の代表からなる25の作業部会を組織した。各作業部会を統括するのは管轄の連邦機関。たとえば運輸省は航空や鉄道、トラック、運送各社を統括する。

コスキネンの同僚には、このやり方に反対する者もいた。

「われわれが対処するのは連邦政府の2000年問題であって、アメリカ経済全体の問題じゃない」

コスキネンはこう返した。

「だが、もし連邦政府のシステムは完璧に機能しているのに、1月1日になって送電網が故障したら、真っ先に『これを防ぐために何をやってきたんだ?』と責められるぞ。『それは私の仕事じゃありませんでした』なんて言えるか?」

「技術的問題」と「心理的問題」に対処する

作業部会は不穏なスタートを切った。各社の弁護士から懸念の声が上がったのだ。同業他社と協働すると、反トラスト法訴訟や責任追及訴訟を起こされるおそれがあるという。コスキネンらは懸念に対処するための法律を急いで議会に通した。* だがそうこうするうちに部会の参加者の連携が取れるようになり、情報共有が進んだ。

またコスキネンは、技術的問題だけでなく、心理的問題に対処することも大事な仕事だと考えるようになった。市民のパニックも、技術的な問題に劣らず重大な脅威だった。

故障や現金不足でATMが停止する確率は、どんなときでも2%ほどだ、とコスキネンは考えた。だが2000年1月1日に稼働していないATMが1台でもあれば、2000年問題のせいだと誤解されて、恐怖心を煽るかもしれない。

最悪の懸念は、取り付け騒ぎが起こることだ。銀行からお金が下ろせなくなる、銀行が倒産しそうだなどという不安が広がれば、新ミレニアムが始まる数週間前から預金の払い戻しを求める預金者が銀行に殺到し始めるだろう。それを見たほかの人も不安になる――そんなに心配する必要はないかもしれないが、自分が引き出す前に銀行のお金がなくなってしまうと困るから、少し下ろしておこう。

アメリカの銀行は部分準備制度の下で、預金のごく一部だけしか手元に残しておかないため、心配しすぎた預金者がお金を引き出そうと銀行に殺到すれば、現金はたちまち枯渇する。

「銀行にお金がなくなった」という噂が広まったらどんな騒ぎが起こるか、想像してほしい。**いわれのない銀行倒産の恐怖が、実際の倒産を招く**恐れがあるのだ。

政府はこの恐れをどれくらい真剣に受け止めていただろう？　連邦準備銀行は500億ドル相当の新札を刷るよう指示し、全国に流通させた。一世帯当たりに直すと約500ドルの計算だ。

新たなミレニアムがあと数か月に迫ったころ、2000年問題が大きな混乱を巻き起こすことはないと、コスキネンは確信するようになった。公の場での彼の発言やインタビューは、冷静で自信に満ちていた。

とはいえ、1999年の大晦日にまったく不安を感じていなかったわけではない。彼は世界全体の状況を懸念していた。ITシステムを持つどんな国も、理論上は2000年問題のリスクを抱えていた。そしてアメリカは2000年問題対策で事実上の世界リーダーになっていた。

＊　上流戦略：まずは訴訟を懸念する弁護士をなだめよ。文明を救うのはそれからだ。

対策を怠り、危機的なシステム崩壊を招く国はないだろうか？　海外で目立った失敗が起こり、メディアがそれを煽れば、アメリカでもパニックが起こらないとも限らない。

「そもそも問題などなかった」のか？

新ミレニアムの１日目、いち早く新年を迎えたニュージーランドから最初の報告が伝えられた。アメリカ人記者がニュージーランドに飛んで、ＡＴＭでキャッシュカードが使えるかどうかを生放送で試した。問題なく使えた（長旅お疲れさま）。コスキネンのチームはホッと胸をなでおろした。

コスキネンは４時間おきに記者会見を開いたが、その日は何も起こらなかった。ほとんど何も。日本では原子力発電所の安全確認に問題が生じた。アメリカ国内では、国防省と情報収集衛星との通信が数時間途絶えたほか、給与支払いの遅延やクレジットカードの請求の重複といったささいな問題が発生した。

数か月後、２０００年問題対策チームは最終報告書を発表した。ここに記された次の事例が、当日の平穏ぶりを物語っている。

「ニューヨーク、タンパ、デンバー、アトランタ、オーランド、シカゴ・オヘア、セントルイスの各空港で、日付変更時に低層ウィンドシア警報システム（ＬＬＷＡＳ）に障害が発生し、エラーメッセージが表示された。空港の空輸システム担当者がLLWASのコンピュータを再起動し、エラーを消去した」

新しいミレニアムが幕を開け、文明は持ちこたえた。人々は避難先の森の貸し別荘からおっかなびっくり都会に戻ってきた。

コスキネンが予想した通り、チームの努力はまったく賞賛されなかった。「48時間もするとみんなが口々に言い始めました。『何事もなかったな。そもそも問題などなかったのさ』とね」

だが、**こうした懐疑主義者の言う通りだったという可能性はないだろうか？**

2000年問題は、そもそも大した脅威ではなかったのではないか？　カナダのコンピュータシステムアナリスト、デイヴィッド＝ロバート・ロブローなどはずっとそう主張していた。

「飛行機は墜落しないし、エレベーターは落下しないし、政府は崩壊しない。人々はあくびをしながら2000年を迎えるだろう」

予言が的中すると、ロブローは勝利を宣言した。2000年1月6日にグローブ・アンド・メール紙に寄稿した、「やーい、だまされた。それ見たことか」と題した記事にこう書いている。「実のところ、暦年に依存するシステムはほとんどない。水力発電や航空管制などの、社会不安を煽っていたシステムも例外ではない」

他方、2000年問題対策に奔走したIT専門家は、空騒ぎだったと言われると、いまでも憤慨する。

「何も起こらなかったのは、人々が大騒ぎをして、われわれが大わらわで対策を講じたからですよ」とマーティン・トーマスは言う。デロイト&トウシュ会計事務所（当時）のコンサルタント兼国際パートナーとして、イギリスを拠点に2000年問題がらみの諸課題に取り組んだトーマスは、2000年問題を空騒ぎではなく、「ニアミス」だったと考える。全世界で人材と労力が動員されたおかげで、すんでのところで災難を免れたのだと。

どちらの言い分が正しいのだろう？　それは簡単にはわからないが、僕自身は空騒ぎというよりはニアミスに近かったのではないかと思っている。

こういったわかりづらさは、上流活動につきもののいらだたしい側面だ。めったに起こらない問題に対処する場合が、とくにそうだ。

繰り返し起こる問題は、それほどわかりづらくない。年間の高校中退者が5年連続で500人で、新しいプログラムを開始した今年度は400人に減った場合、プログラムが有効だったと、ある程度自信を持って言える。

だが2000年問題の場合、2000年1月1日というたった1つの時点のデータしかない。ありがたいことに、幸運のおかげか、準備のおかげか、はたまたその両方なのかはわからないが、「大した問題ではなかった」ことになった。

備えたのに、悲惨な結果になったケース

2000年問題では惨事に備えたが、実際には何も起こらず、本当に備える必要があったのかと疑問を持たれた。この正反対のシナリオを考えてみよう。つまり、惨事に備えたのに、破滅的な結果が避けられなかった場合だ。

それは対策がまずかったせいなのだろうか、それとも対策を取らなければもっと悲惨なことになっていたのだろうか？

このシナリオが現実に起こり始めたのは、2004年初めのこと。マデュー・ベリワールとエリック・トルバートの2人の災害専門家が、ワシントンDCで話し合いを行った。ベリワールは政府の災害対策・対応を支援する民間委託業者IEMの創業者兼CEOで、トルバートは連邦緊急事態管理庁（FEMA）の緊急時対応担当責任者である。

ベリワールはトルバートに訊ねた。

「いま頭にあるなかで、どの災害がいちばん心配ですか？」

トルバートは答えた。

「ニューオーリンズを破滅的なハリケーンが襲うことですね」

専門家を震え上がらせていたのは、ニューオーリンズの地形だった。市の大部分が海面下にあり、ちょうどお椀の底のように、ミシシッピ川とポンチャートレイン湖の水をせき止める堤防に囲まれている。**堤防が決壊するようなことがあれば、水が一気に流れ込み、市内は水浸しになってしまう**。

9・11同時多発テロ事件以降、FEMAはテロ行為に焦点を当てていたが、トルバートは自然災害対策計画を策定する資金を求めてロビー活動をしていた。

2004年に数百万ドルの予算が下りた。ベリワールの会社IEMが80万ドルで契約を受注し、ニューオーリンズと周辺地域のハリケーン対応計画を策定する任を与えられた。

IEMは猛スピードで防災演習の計画立案に取り組み、ふつうならずっと長くかかるところをたった53日で完成させた。ハリケーンの季節が迫っていた。IEMは2004年7月、約300人の主要関係者をバトンルージュに1週間集めた。

FEMAのほか、ルイジアナ州の20を超える政府機関、13の行政区、国立気象局、15を超える連邦機関、ボランティア団体、ミシシッピとアラバマの州機関の代表などが集まり（問題を包囲した）、IEMのチームが策定した模擬演習、その名も「ハリケーン・パム」を行った。

入念に組み立てた「模擬演習」

ジャーナリストのクリストファー・クーパーとロバート・ブロックが、ハリケーン・カトリーナへの対応を解説した重要な著書『災害：ハリケーン・カトリーナと国土安全保障省の失敗』（未邦訳）の中で、ハリケーン・パムの模擬演習を取り上げている。

「（架空のハリケーン・パムは）大西洋上で発生し、プエルトリコとイスパニョーラ島、キューバを襲い、メキシコ湾の暖水上を通過する間に巨大化した」。彼らはこう続ける。

「避難する時間は十分あったのに、湾岸地域の多くの住民がその場にとどまった。予想された通り、ハリケーンはルイジアナ州の小さなキャンプ町グランドアイルを直撃し、完全に破壊してから、ニューオーリンズに向かって北上した。そして大惨事を引き起こしながら川上へ約100キロ進んだ。ニューオーリンズの真上を通過し、ポンチャートレイン湖をティーカップのように傾け、市内に水をぶちまけた。湖の汽水はたちまちニューオーリンズに押し寄せ、一帯は約6メートルもの水に覆われた。ハリケーンは去り、そして町は廃墟と化した」

バトンルージュでの模擬演習では、参加者が捜索救助や排水、仮設住宅、トリアージセンターなどの専門ごとにグループ分けされ、刻一刻と展開するシナリオに合わせてリアルタイムで対応策を立てた。

演習の主催者の1人、マイケル・L・ブラウン大佐は、**「魔法を叶える〝妖精の粉〟は使わずに」対策を立てるように**と呼びかけた。

クーパーとブロックは次のように書いている。

「参加者には次のような指示が出された。もし何かの作業に300艘の船が必要なら、ただ300艘の船が存在することを願うのではなく、それだけの船を実際に探さなくてはならない。もしニューオーリンズに発電機を運ぶのに15台のトレーラーが必要なら、トレーラーを調達できる場所を探すか、せめて調達できそうな場所の現実的な当たりをつけなくてはならない。『確実に入手できるか、間違いなく入手できそうな資源をもとに、計画を立てるよう求めました』とベリワールは言った。『どこからともなく現れた1000機のヘリコプターを使ってこれをする、といった対策ではいけないと』」

「予想通り」だったのに、なぜこうなったのか？

ハリケーン・パムと格闘した、怒濤のような過酷な1週間の最後に、参加者は一連の緊急時対応計画をまとめた。詳細な検討がなされた部分もあれば、ほとんど煮詰まっていない部分もあったが、これが実際のハリケーン対策の叩き台となった。

◎ 模擬演習と実際の被害の違い

架空の「ハリケーン・パム」のデータ	実際の「ハリケーン・カトリーナ」の影響
降雨量500ミリ	降雨量450ミリ
ニューオーリンズ市が3〜6メートル冠水	ニューオーリンズ市の一部地域が最大6メートル冠水
5万5000人以上がハリケーン上陸前に公共避難所に退避	約6万人がハリケーン上陸前に公共避難所に退避
110万人以上のルイジアナ市民が避難生活	ルイジアナ市民を中心に100万人の湾岸地域住民が長期の避難生活
直撃当日ルイジアナで78万6359人が停電被害	直撃翌日にルイジアナで88万1450人が停電被害

模擬演習から13か月を経た2005年8月末、ハリケーン・カトリーナがニューオーリンズを襲った。カトリーナの5か月後に上院で行った証言で、ベリワールは模擬演習と実際の被害を比較した表を提示した（上図）。

気味が悪いほどそっくりだ。そこで当然の疑問が浮かんでくる――どうしてあんな大惨事になってしまったのか？

しかるべき人たちを集め、どんぴしゃのシナリオで予行演習をしたというのに、1年後に本物のハリケーンが襲ったとき、なぜ対応が失敗したのだろう？

「失敗」とは控えめな表現だ。カトリーナへの対応は国辱ものだった。ジャーナリストのスコット・ゴールドが、避難所となったスーパードーム球場の惨状を報告している。

「尿の水たまりで寝ている2歳の少女。トイレに散乱する麻薬のビン。若者たちに破壊された自販機の横の、血が飛び散った壁。かつて美しい設計と創意工夫の壮大なシンボルだったルイジアナ・スーパードームは、カトリーナが襲った月曜日の前日から、ニューオーリンズ最大の避難所となり、最終的に約1万6000人が収容された。水曜にはドームは惨状を呈していた。……『みんな床におしっこをするんです。動物並みね』と、タファニー・スミスが生後3週間の息子テリーをあやしながら言った。右手に配布されたミルクが半分入った哺乳瓶を持っている。ベビー用品は不足している。ある母親はおむつを2枚配られ、汚れをこそげ落として再利用するよう言われたという」

違いを生んだ「一見ささいな問題」

考えてみてほしい。次の2つの矛盾する考えは、どちらも正しい可能性がある。それはなぜだろう？

1つ目の考えは、「ニューオーリンズの被災者への対応は、言語に絶するほどひどかった」。

2つ目が、「ハリケーン・パム演習をもとに対応計画が策定されたおかげで、数千人の命が救われた」。つまり、ハリケーン・カトリーナの被害は甚大だったが、それよりずっ

◎ 模擬演習と実際の被害の最大の違い

架空の「ハリケーン・パム」のデータ	実際の「ハリケーン・カトリーナ」の影響
死者6万人以上	現在までに報告されている ルイジアナの死者数1100人、 行方不明者3000人超
上陸前に住民の36%が避難	上陸前に住民の80〜90%が避難

とひどい結果になっていた可能性がある、ということだ。

なぜならベリワールが上院委員会で示した比較表には、続きがもう2項目あったのだ。ハリケーン・パムとハリケーン・カトリーナの最大の違いを示す2項目である（上図）。

ベリワールはハリケーン・パムについて、2019年にこう語った。

「科学的な予想は的中しました。大きく外したのは死者数だけです。私たちの予測では、6万人以上の死者が出る見込みでした。そしてあの恐ろしい状況にあっても、実際の死者数は1700人でした。* **この違いを生んだのは、「一方通行化（コントラフロー）でした」**

「一方通行化」とは、公共交通における緊急措置で、高速道路の全車線を一時的に一方通行にすることを言う。理屈の上では合理的な方法に思える。すべての交通は災害地域から避難する方向に流れるべきだ。

だが、州間高速道路の流れを逆転させるのがどんなに大変かを

＊　ここで上院証言で示した1100人ではなく、1700人と言っているのは、その後行方不明者の一部の死亡が確認され、死者数が増えたためである。

考えてほしい！　逆方向の入口をすべて封鎖して監視し、市民に状況を知らせ、緊急対応の路上作業員を待機させ、立ち往生した車両にすばやく対処して渋滞を回避する必要がある。それに、全車線一方通行の州間高速道路が州境を越え、普通に流れている州間高速道路と合流するときはどうなるのか？

こうした問題は交通管理上のささいな問題だと思うかもしれない。だがベリワールは、ハリケーン・カトリーナの死者が6万人でなく1700人ですんだのは、この一方通行化のおかげだと強調した。小さな違いが生死を決したのである。

「失敗」が重要な教訓となる

ニューオーリンズは前年のハリケーン・アイヴァンのときに一方通行化を試していた。ハリケーン・アイヴァンは、ハリケーン・パム演習から2か月と経たずにメキシコ湾岸地域を襲った、カトリーナよりは弱いハリケーンである。

このときの一方通行化は大失敗に終わった。高速道路はたちまち渋滞し、高架道路に12時間取り残されたドライバーもいた。ハリケーン・アイヴァンは最終的に東にそれ、ニューオーリンズは直撃を免れた。そうでなかったら、州間高速道路は巨大駐車場と化し、数千人のドライバーが車を置いて避難場所を探す羽目になっていたことだろう。

ハリケーン・パムの模擬演習とハリケーン・アイヴァンでの現実の失敗を踏まえて、州は一方通行化計画を徹底的に見直した。

重要な教訓として、近隣の州当局と緊密な連携を図り、市民との意思疎通を改善することの大切さが認識された。ハリケーン・カトリーナが来た際には、アメリカ赤十字社が一方通行化のプロセスを説明する地図を150万枚刷って配布した。

細かい改善点もあった。ハリケーン・アイヴァンの際には、多くのドライバーが車を止めて警官に質問を浴びせ、警官はその都度丁寧に指示して、人助けをしたと思っていた。だがそのせいで車の流れが滞り、渋滞に拍車をかけていた。カトリーナで生かすべき教訓は明らかだった。**黙って前進の合図をせよ**。

ハリケーン・カトリーナがメキシコ湾内に入りニューオーリンズを脅かしていた2005年8月27日、ルイジアナ州知事キャスリーン・ブランコは午後4時からの一方通行化開始を指示し、この措置は25時間後に解除されるまで継続された。

交通の流れはハリケーン・アイヴァンのときよりずっと円滑だった。ニューオーリンズからバトンルージュまでは、平時は車で1時間ほどの道のりだが、一方通行化の間も3時間を超えることはなかった。交通流量、つまり単位時間当たりの通過車両数は、ラッシュアワー時の7割増しだったが、それでも交通はよどみなく流れ続けた。目立った遅れも出ず、計120万人以上が避難できた。

「訓練」は繰り返さなくてはならない

ハリケーン・パム演習は、上流活動の模範例である。しかるべき人たちを集めて、問題が起こる前にしかるべき問題を話し合った。

「われわれの努力が違いを生んだとわかってうれしいです」と、ハリケーン・パム演習に参加した、ルイジアナ州立大学ハリケーンセンター元副局長アイヴォル・ヴァン・ヒールデンは言う。「演習は何千人もの命を救ったはずです」

模擬演習を行ったのは正解だったが、主要関係者が集まったのは、残念ながらこのとき1回限りだった。**どんなによくできた訓練でも、たった一度行うだけでは十分な備えにならない。**

ハリケーン・パム演習を考案した委託業者のIEMは、この取り組みをさらに進めるための追加演習を2005年に計画していた。『災害』にはこう書かれている。

「しかしFEMAはわずかな出費を惜しんで、2005年前半に予定されていた追加演習のほとんどを中止した。FEMAがその理由として挙げたのは、予算不足で職員を開催地に派遣する少額の旅費を捻出できないということだった。のちにFEMAの高官が語ったところによれば、不足額は1万5000ドルにも満たなかったという」

ＦＥＭＡは1万5000ドルの支出を拒否した。他方、カトリーナによって破壊された湾岸地域の再建費用として議会が承認した追加支出は、最終的に620億ドルを超えた。下流活動偏重の典型的な末路である。

誤解のないように言っておくと、たとえどんなに周到に備えたとしても、湾岸地域は史上最大級のハリケーンの被害を避けようがなかった。ただ、あまりにも落差が激しかった。私たちは数十億ドルの被害がかかっている状況で、数千ドルや数百万ドルの出費にこだわってしまう。

大きな問題に備えるには訓練が欠かせない。理論的には何もややこしい話ではない。なぜ現実には話がややこしくなるかと言えば、この種の訓練が第4章で説明した「トンネリング」の本能に反するからだ。

組織はつねに目先の問題に対処している。起こるかどうかもわからない遠い先の問題の計画は、明らかに急を要しない。だから人を集めるのが難しい。予算の承認を得るのが難しい。苦難に見舞われてもいないときに協力を求めるのが難しい。

詐欺メールの「衝撃のクリック率」

この下流偏重の姿勢に対抗する方法の1つが、習慣づけだ。

例を挙げよう。ネットワークセキュリティの最大の弱点が「人」だということは、IT業界では常識とされる。最近では詐欺メールでクレジットカードやパスワードなどの個人情報を奪う「フィッシング」が横行していて、ベライゾン社の2019年度データ漏洩／侵害調査報告書によると、これはすべてのセキュリティ侵害の32％を占めている。

本物の攻撃に引っかからないために、最近では社内にニセのフィッシングメールを送って社員を訓練するビジネスが生まれている（詐欺ビジネスの偽物をビジネスにするとは、時代を物語っている）。

イリノイ州西オーロラ第129学区のIT責任者ドン・リンゲレスタインは、フィッシング攻撃に懸念を持ち、セキュリティ会社ノウ・ビフォーの無料体験を申し込んだ。

2017年1月に、リンゲレスタインは初回テストとして、学区の職員宛てに見知らぬ怪しいメールアドレスから詐欺メールを送信した。週初にセキュリティ侵害が発生した可能性があるため、リンクをクリックしてパスワードを変更するよう呼びかけるメールだった。

リンゲレスタインはそれまでも詐欺メールの危険性を再三訴えていたので、ほとんどの職員が詐欺を見抜くだろうと高をくくっていた。だがそうではなかった。**29％もの職員が、メールに記載されたリンクをクリックしたのだ。**

「驚いたどころではありませんでした。パニックになりましたよ」と、リンゲレスタインは語る。

フィッシングは、とくに教育学区にとって深刻な問題だ。ただ学区の財務情報に価値があるというだけではない。生徒の個人情報は、身元詐称を行う輩にとって「千金」にも値する。ＦＢＩなどによれば、窃盗犯が生徒の個人情報を利用して開設した口座を、生徒本人が気づかないまま何年も使い続けるケースもあるという。

「詐欺メールをパソコン側ですべて遮断することは不可能です。そんなことができるハードウェアなんてありません」とリンゲレスタインは言う。「したがって、私たちにとっての最後の砦（とりで）、フィッシング詐欺が成功するための最後の関門を閉ざすには、職員を訓練するしかないんです」

リンゲレスタインは、職員たちがついクリックしてしまいそうなメールをつくり始めた。

「あなただけのアマゾンプライム年会費無料特典――こちらをクリック！」

「スターバックスのドリンク無料クーポン――ダウンロードはこちらから！」

「高速道路ＥＺパスが未払いです――お支払いはこちらをクリック！」

３番目のメールのクリック率は27％だったが、これは衝撃だった。そもそもイリノイ州の通行料金支払いシステムは「ＥＺパス」ではなく、「Ｉパス」なのだ（もし「生徒のレポートを無料で採点する研修生」の詐欺メールが送られていたら、クリック率は90％を超えていただろう）。

練習を繰り返して「応用力」をつける

リンゲレスタインが送った詐欺メール内のリンクをクリックすると、別のサイトに誘導され、そこでインターネット安全対策を学べるようになっている。

リンゲレスタインの側では、誰がリンクをクリックしたかを確認できる。

職員のなかに、毎回ほぼ必ずだまされる人がいることがすぐに判明した。何の工夫もない露骨な詐欺メールでさえ、あっさりクリックしてしまうのだ。リンゲレスタインはこういう職員がいる学校に出向き、こっそり個別指導を行った。

テストと指導を2年以上続けた甲斐あって、教職員は少しずつ警戒を高めていった。最初は29%と、とんでもなく高かったクリック率も、最近のテストでは平均約5%にまで下がっている。

これは前進だ。そして彼らがめざしているのは〝全般的〟な前進だ。つまり、スターバックスを装った詐欺メールから職員を守るだけでなく、あらゆる種類の詐欺にだまされない能力を高めようとしている。もし西オーロラ学区の教師が、重要情報を聞き出そうとする怪しい電話を受けたら、ネットでの詐欺と同じように警戒してくれることを、リンゲレスタインは願っている。

これは災害対策にも通じる目標だ。緊急事態の模擬演習は完璧な予測ではなく、あくまで合理的な予測にすぎない。だから理想的には、何度か練習する機会を関係者に与えたい。**どんな緊急事態にも通用する知識やスキルを習得させたい**からだ。

そうしておけば、いざ災害が襲っても、関係者はお互いを知っている。システムのつながりを理解している。必要な資源をどこから得られるかを把握している。

僕が取材した地域防災イベントの参加者のひと言が本質をよく言い表している。「緊急時に名刺交換している暇などないですからね」

「完璧な対策」が必要な問題に対処するには？

2000年問題やハリケーンといった、不確定要素が大きい問題や予測不能な問題の対策でも、これまで見てきたおなじみの戦略が当てはまる。

関係当局がしかるべき人たちを集め、全員を同じ方向に向かせる。トンネルを脱して、問題を包囲する。次の災害への対応力を高めるために、システムを調整する（一方通行化の方法を改善するなど）。

では次に、それよりずっと難しい問題を考えよう。ただ問題に「備える」だけでは十分でない場合はどうしたらいいのか？　問題を回避するために完璧な対策が求められる場合、どうするのか？

リングレスタインの例に戻ると、学校の教職員は当初「だましてくれ」と言わんばかりの29％のクリック率から始まり、指導の結果、5％まで改善した。これは行動学的に見て非常に大きな変化だ。だがそれで十分と言えるのだろうか？

「1つの穴からセキュリティが破られるような環境では、安心して教育を行えません」と言うのは、コンピュータセキュリティの専門家でハッキング対策のご意見番、ブルース・シュナイアーだ。別の言い方をすると、もしハッカーが「何が何でも西オーロラ第129学区に侵入するぞ」と決意すれば、29％と5％の違いは大した問題にならないということだ。

ハッキングは多くの場合、1つでも扉が開いていればいい。何でもクリックしてくれるお人好しが1人いれば十分なのだ。


オックスフォード大学で教えるスウェーデン生まれの哲学者ニック・ボストロムは、現代社会が技術革新のせいで、そうした脆弱性を抱えるようになったのではないかと考える。つまり、**社会全員の運命が、たった1つの不運や1人の悪人にかかっている**ような状況である。

ボストロムがこう考えるのは、人間にはあと先考えずに新しい技術を求める習性があるからだ。科学者や技術者は、「これを発明すべきだろうか?」と熟考して、きちんと手続きを踏んでから発明することはほとんどない。発明できるから発明する。好奇心や野心、競争心に駆り立てられて、ひたすら前へ進む。技術革新に関する限り、アクセルがあるだけでブレーキはない。

ときには莫大な価値のある発見がなされることもある。抗生物質や天然痘ワクチンがそうだ。一方、銃や自動車、エアコン、ツイッター等々の、功罪半ばする発明もある。そうした技術がどういう影響をおよぼすのか、よい影響が大半なのか、それとも悪い影響なのかを前もって知ることはできない。手探りで前進し、結果に対応するだけだ。

ボストロムの「脆弱世界仮説」

ボストロムはこの「手探り前進」の習性を、こんなたとえを使って説明する。巨大な壺の中に玉がいくつか入っていて、人間はそこから玉を取り出している。一つひとつの玉は、発明や技術を表している。

白い玉は抗生物質のような、人間に利益をもたらすもので、灰色の玉は功罪半ばするものだ。そしてここが肝心なのだが、壺に手を入れるときは、何色の玉が出てくるかはわからない。人間はただ衝動に任せて手を突っ込んでいる。

だが、もし破滅的な玉を取り出してしまったらどうなるだろう？　ボストロムは「脆弱世界仮説」と題した論文のなかで、壺の中にはそれを生み出した文明を破壊する、黒い玉が入っているのではないだろうかと問いかける。

人間はまだ黒い玉を取り出したことはないが、「その理由は、人間が技術に関してとくに注意深い方針や賢明な方針を持っているからではない。たんにこれまで幸運だったというだけだ。……私たちの文明は、壺から玉を取り出す能力には優れているが、壺の中に戻す能力はない。発明することはできても、発明をなかったことにすることはできない。黒い玉がないことを祈るだけの戦略なのだ」

この「黒い玉」、すなわち文明を破壊する技術という考えは、あきれるほど現実離れしていると思うかもしれない。だがそれを荒唐無稽と片づけることはできない。小さな集団の手に大量破壊能力を握らせるような玉を壺から取り出せば、文明は危機にさらされるとボストロムは警告する。たとえて言うなら、「イスラム過激派が核兵器を手に入れる」ような状況だ。

この可能性が現実になるには、たった2つの条件が満たされるだけでいい。

1つは大量破壊を望む集団がいること。もう1つは、大量破壊能力を大衆に与えるような技術があることだ。1つ目の条件がすでに満たされていることに、誰も異論はないだろう。現に多くのテロ集団や学校銃撃犯、大量殺人犯がいるのが、何よりの証拠だ。

2つ目の条件、大量破壊能力を大衆に与えるような技術について、ボストロムはこう問いかける。もし核兵器が、国家レベルの高度な技術や資源なしでもつくれていたなら、歴史はどうなっていただろう？　「ただ2枚のガラス板で挟んだ金属に電流を通すような、ごく簡単な方法で、原子の力を解き放つことができていたとしたら？」

ホームセンターで買える材料で核爆弾を製造できるなら、破滅的な結果になることは目に見えている。膨大な資金や専門知識、資源がなければ核兵器を製造できないことは、人間にとって最大の僥倖（ぎょうこう）なのではないだろうか？

ボストロムが言いたいのは、**人間がこれからも幸運であり続ける保証はない**ということだ。いまもすでにDNAプリンターを使って、研究目的でDNAをすばやく安価に作製している企業がある。

もしいつの日か、たとえば患者の遺伝子に合った薬を提供するためにDNAプリンターが家庭に置かれ、1918年に大流行したスペイン風邪のウイルスを自宅で複製できるようになったら？　1人の人間が、世界中の人間を絶滅させるかもしれない。

「起こりそうにない問題」に先手を打つ

この章はレナード・ニモイの警句で始まった。「アトランティスの運命が脳裏をよぎります。２０００年を目前に控えたいま、私たちの文明に突きつけられた問題はこれです──現代の最先端技術はあまりにも先進的になりすぎて、人間はそれを制御することも、その最終結果を予見することもできなくなってしまったのでしょうか?」

僕は正直、この悪趣味な合成映像のビデオを初めて見たとき、ばかげているとしか思わなかった。だがいまではそんな気持ちは消えてしまった。ミスター・スポックの言う通りなのかもしれない。

「予言者のジレンマ」というものがある。誰かが何かを予言すると、誰もがそれを避けようと気をつけるので、結局予言は実現せず、予言者は嘘つき呼ばわりされる、というジレンマだ。自己破壊的な予言とも言う。

頭に落ちてきた木の実を見て、「空が落ちてきた」と勘違いして騒ぎ立てたヒヨコ、チキン・リトルの古い童話がある。だが実はチキン・リトルのおかげで、空の落下が防がれた可能性はないだろうか?

２０００年問題は、予言者のジレンマの好例だ。空が落ちてくるという警告を聞いて、空の落下を防ぐ対策を講じたのだ。

もしかすると、**社会が必要としているのは、新しい世代の賢明なチキン・リトルたち**なのかもしれない。恐れや不安などの負の感情につけ込んで金の延べ棒や怪しい薬を売りつけようとする陰謀論者ではなく、ボストロムのような人たちだ。ボストロムは「人類の未来研究所」を設立し、人間の存続を脅かす危険や人間の長期的未来に関する研究への関心を高めようとしている。

あるいは、セキュリティの最大の弱点は人だと警告したコンピュータセキュリティの権威、ブルース・シュナイアーのような人が必要だ。彼の著書『人間を絶滅させるにはこちらをクリック』（未邦訳）は、ネットワーク技術の方針や規定の設定に関わるすべての人にとって必読の書だ。

また、賢明なチキン・リトルたちの警告を組み込んだ何らかのシステムをつくる必要があるかもしれない。そもそも地球上の全人類がＤＮＡプリンターを利用できる必要があるのだろうか？　それを決めるのはＤＮＡプリンターの製造会社でいいのだろうか？　でなければ、誰が決めるべきか？

「やり過ぎ」にも見える対策を取る

信じられないかもしれないが、過去に参考になるような事例があった。１９５０年代と60年代に、ある漠然とした科学的脅威を話し合うために世界中の関係者が集まった。どんな脅威か？　月面探査から帰還した宇宙船が、破壊的な地球外生命体を地球に持ち帰る可能性だ。

「月の細菌の危険性を心配した数千人の市民が、NASAに手紙を書いた」と、マイケル・メルツァーが魅惑的な著書『生命圏が衝突するとき』（未邦訳）に書いている。

こうした恐怖はいまでこそばかげているように思えるが、当時は笑いごとではなかった。月面に何があるかはまったくわかっていなかった。それに、人間の存続が脅かされているという不穏な空気が漂っていた。冷戦や核シェルター、生物兵器、キューバ・ミサイル危機、核攻撃の避難訓練の時代である（月面着陸の2か月ほど前に刊行されたマイケル・クライトンの1969年のベストセラー『アンドロメダ病原体』が、さらに恐怖をあおった。墜落した人工衛星により、危険な病原体が地球にもたらされるという物語だ）。

1950年代、ソ連の無人人工衛星打ち上げ計画「スプートニク計画」が始まる直前に、生物学者のJ・B・S・ホールデンや、ノーベル賞受賞者のメルヴィン・カルヴィンとジョシュア・レダーバーグをはじめとする科学者の集団が、宇宙探検による汚染の危険性を訴え始めた。

彼らは「前方」と「後方」の2種類の汚染を警告した。帰還した宇宙船が地球を汚染する「後方汚染」（『アンドロメダ病原体』のシナリオと同じ）と、地球の生命体がほかの惑星を汚染する「前方汚染」（かなり上流の懸念と言える）である。

これらの問題への関心をきっかけとして、レダーバーグが「圏外生物学」と名づけた新しい科学分野が生まれた（いまでは「宇宙生物学」と呼ばれる）。

「圏外生物学は宇宙探検の方法に大きな影響を与えた」と、天文学者のケイレブ・シャーフが科学雑誌ノーチラスに書いている。「宇宙船の殺菌や、地球に持ち帰るものを制限する検疫に関する、厳密な手続きが定められた。NASAは無菌室をつくり、技術者は宇宙船の装備を消毒し乾燥させてから密封し、打ち上げに備えた。科学者は異世界の生物を汚染するリスクの許容範囲を急いで計算した」

アポロの宇宙飛行士は月から帰還すると、検疫のためにただちに隔離された。誤解のないように言っておくと、ほとんどの科学者は月に生命が存在するとは考えていなかったし、宇宙飛行士が月から恐ろしい微生物を持ち帰ることを過度に心配してもいなかった。賢明にも、未知のリスクを心配していたのだ。

理解がほとんど進んでいない分野なのだから、生死に関わる一か八かの賭けをしてはならない。NASAは、起こりそうにないリスクを防止するために、やり過ぎとも言えるほどの手続きを導入した。誰かに強制されてではなく、自発的にそれを行った。

おそらくこれは、いつか起こるかもしれない文明への脅威に人間が一丸となって取り組むために上流に向かって初めて踏み出した、よちよち歩きの一歩だった。

この取り組みを指揮したのは、NASAの惑星保護官（もとは惑星検疫官）と呼ばれる職員だった。この部署はいまも存在し、2019年現在の惑星保護局長はリサ・プラットである。彼女の前任者の一人、キャサリン・コンリーが、同局の歴史について印象的なことを語っている。「私の知る限り惑星保護の取り組みは、人間が地球上の種として、問題に対処する能力をまだ手にしていないときに、先手を打って問題を予防しようと決めた、人類史上初めての例です」

こうした例がさらに出てくることを祈ろう。

CHAPTER 13 あなたも上流へ

——個人として上流活動をする

2005年のこと、トリシア・ダイアルの夫ジャスティンは、海兵隊特殊作戦部隊の一員としてイラクに派兵された。夫妻には3歳のエレナ・グレイスと、8か月のエリッサ・フェイスの2人の娘がいた。家を出る前、ジャスティンはトリシアに言った。

「イラクに行くのは怖くない。命を落とすことが怖いとは思わない。怖いのは、子どもたちが僕のことを忘れてしまうことだよ」

それから数週間後、娘たちはロタウイルス感染症で入院した。エレナ・グレイスはひどい状態だった。ウイルスで体が弱り、父親がいなくてとてもさみしい思いをしていた。トリシアにパパの写真をもらっていたが、肌身離さず持っていたためボロボロだった。

トリシアは娘たちをなんとか慰めようとして、手先が器用な大叔母のメアリーに、ジャスティンの写真を使って人形をつくってもらえないかと頼んだ。メアリーは海兵隊の制服を着たジャスティンの写真を生地に印刷して人形の形に縫った。トリシアが〝パパ人形〟を渡すと、エレナ・グレイスは目を輝かせて喜んだ。人形が枕元を離れることはなかった。退院して帰宅すると、パパ人形は毎日の生活になくてはならないものになった。エレナ・グレイスは人形をどこにでも連れていった。スーパーのショッピングカートでは隣に座らせ、公園では一緒に遊んだ。パパ人形はごっこ遊びの相手になった。夜寝る前のお祈りも一緒にした。

エリッサ・フェイスもパパ人形を持っていた。いつもゆりかごで一緒に眠った。

「パパ人形」の効果

9か月間の任期を終えたジャスティンは、家に帰ったらエリッサ・フェイスがどんな反応を見せるだろうと心配していた。家を出たときは赤ん坊だったから、自分のことを覚えているかどうか不安だった。帰宅して数週間は子どもに怖がられるという話を、海兵隊の仲間から聞いていた。

家に帰ったのは夜で、娘たちはもう寝ていた。寝顔だけでも見たくてエリッサ・フェイスの部屋に行った。赤ちゃんの娘は目を覚まし、まだ制服を着たままのジャスティンをまじまじと見つめた。そして人形に目をやった。

「エリッサ・フェイスはパパ人形を放り出して、『パパ!』と叫んで抱きついたんです」とトリシアは言う。「夫が泣く姿を見たのは、あのときが初めてでした」

パパ人形を見た人はみんなすてきなアイデアだとほめてくれた。娘たちが入院していたときに、同じ病棟の子どもたちに人形をつくってほしいと、看護師に頼まれた。トリシアは海兵隊仲間の妻で近所に住むニッキ・ダーネルを誘って、人形づくりに精を出した。

そのうち、トリシアは考えるようになった。この人形を、自分や友人の子どもだけのものにしてはいけない。これは愛する人の不在を悲しむすべての家族のための人形なのだと。「派兵隊員の家族でなくても、誰かの不在を悲しむ気持ちはどんな子どもも一緒です。それに、子どもから離れなくてはならない親の気持ちも」と彼女は言う。「胸をえぐられるようにつらく、慣れることもありません」

トリシアとダーネルはダディ・ドールズという会社を立ち上げ、1年足らずのうちに軍関係者の子どもに1000体以上の人形を届けた。その後対象を広げ、軍人の父親だけでなく、母親や、死別した人の人形もつくるようになった。

この人形は、いまでは「ハグ・ア・ヒーロー〔ヒーローを抱きしめよう〕人形」の名で呼ばれている。兵士の出征前のやることリストに、スカイプ・アカウント開設や遺言書作成などと並んで、この人形の手配が挙げられることもあるという。

空軍中佐を夫に持つリズ・バーンは、娘たちのためにハグ・ア・ヒーロー人形を注文した。

「私たち大人は、もう少し状況にうまく対処できます」と彼女は言う。「段階を経ていくんです。最初の2日くらいはただただ泣くだけで、何も手につかない。それから少し楽になって、また普通の生活を取り戻します。でも娘たちには（人形の）存在が大きな癒やしになったと思います。……娘たちが人形をもらって抱きしめたとき……気持ちがつながったようでした。たしかに助けになっているんです」

「一個人」として上流に向かう

派兵にまつわる心の痛みは、トリシア・ダイアルが生み出した問題ではない。でもそれは、彼女が解決を手伝える問題だった。

これが上流思考の精神だ。少しの計画性があれば、問題を未然に防ぐことができるし、たとえ完全に防げなくてもその影響を和らげられることが多い。

アイスランドの親たちや政治家、研究者の集団は、「10代の若者がアルコールを乱用しない社会をどうしたら実現できるだろう？」と考えた。エクスペディアの幹部は、「顧客が電話をかけずにすむにはどうしたらいいだろう?」と自問した。シカゴ学区の教職員は、「生徒の中退を防ぐにはどうしたらいいだろう?」と知恵を絞った。

本書で紹介してきた物語は、企業や教育学区、市などの、大小の集団の活動に関わるものが多い。だがもっとシンプルな問いを考えることにも価値がある。「一個人に何ができるだろう?」

トリシア・ダイアルは娘たちの痛みを和らげたい一心の母親という、一個人として行動を起こした。宇宙生物学の祖ジョシュア・レダーバーグは、後方・前方汚染への大きな関心を呼び起こし、科学の一分野を生み出した。僕もコードの抜き差しの面倒をなくすために、ノートパソコン用の2本目の電源コードを買った。僕らみんなが英雄だ。

あなたが一個人として上流に向かうには、どうしたらいいだろう?

あなた自身の「問題盲」を考えてみよう。

あなたが仕方ないとあきらめている問題のなかに、実は解決できるものがないだろうか? それは小さな問題かもしれない。

ある女性がこんな話をしてくれた。

「手首に歩数計をつけているほど歩くことにこだわっているのに、いつも入口に近い駐車スペースを探そうと必死になっていたの。ばかみたいでしょう。いままではいちばん遠いスペースに駐車するようにしているわ。ほかの車から離れているから、『VIPスペース』って呼んでいるの。歩数を稼げるし、空きスペースを見つける面倒もなくなった。駐車場問題を永久に解決できて、ほんとにスッキリした」

テニスコーチのジェイク・スタップの問題盲は、彼がウィスコンシン州で運営していたサマーキャンプでのボール拾いの手間だった。ボールを回収するために何百回も腰を曲げたせいで、慢性の腰痛に悩まされていた。

そこで、何か解決策はないだろうかと考えるようになった。車の助手席にいつもテニスボールを置いておき、運転中にあれこれ解決策を考えた。マジックハンドを使って、腰を曲げずにボールを拾ったらどうか？　いや、それじゃだめだ。1球ずつ拾う手間は変わらない。

「そして彼はあるとき瞑想をしながら、助手席に手を伸ばしてテニスボールを取った」と、ペイガン・ケネディが著書『発明論』（未邦訳）に書いている。「指先に触れたゴムの感触が、斬新なアイデアにつながった。金網のカゴでボールを上からギュッと押さえつければ、ゴム製のボールは金網を通り抜けてカゴに入り、出ていくことはない」

あの有名な「テニスボールホッパー」はこうして生まれた。きっかけは腰痛と苛立ちだった。スタップは個人的な問題を解決し、その後すべてのテニスプレーヤーの問題を解決した。

「よく起こること」は上流で解決する

あなたは避けられるはずの人間関係の問題を、仕方がないとあきらめていないだろうか？　ちょっとした上流思考が打開策を生むことがある。

「私たち夫婦は結婚25年にして共通の話題もなくなり、実のある会話をほとんどしなくなっていました」と、テキサス州フレデリックスバーグ在住のスティーヴ・ソスランドは書いている。「いざ話をしても、ケンカ腰か逃げ腰（たいていは逃げ腰）になっていました。妻はただ話をしたがっていました。でも、話し合うための基本ルールみたいなものが何もなかったんです」

親しくしていた何組かの夫婦が離婚したことを知って、2人は動揺した。

「ある朝裏庭のポーチでコーヒーを飲んでいるとき、友人たちの離婚の話になりました。『私たちもその方向に向かっているのかな』と、どちらからともなく言いました。答えは考えるまでもないように思えました。でもそこで、どうしたら離婚を避けられるかをじっくり話し合うことにしたんです。これといった方法を思いつかなかったから、翌朝も話すことにしました。その翌朝も、またその翌朝も」

2人が求めていたのは、安心して話し合える場だった。躊躇も後悔も罪悪感もなくどんな問題でも話し合える場だ。そういう会話ができる物理的な場をつくるためにジャグジーを購入し、ややこしい問題はそこで話し合うことにした。なんだかうまくいきそうな気がした。

「数年かかりましたが、こうありたいと願っていた家庭を築くことができました。もちろん、『風呂談義』用のジャグジーを裏庭のデッキに置いてね」

パパ人形。VIPスペース。テニスボールホッパー。風呂談義。上流思考は組織だけのものでなく、個人のものでもある。

日常生活に繰り返し起こる問題があるなら、上流へ向かおう。大昔からある問題だからといって、ひるんではいけない。古い格言にもある。

「木を植えるのにいちばんいい時期は20年前だった。その次にいい時期は、いまだ」

上流活動のための「3つのアドバイス」

もっと大きな社会問題を解決したい人もいるだろう。時間とお金を費やすべき対象は無限にある。どうやって選べばいいだろうか？

僕がこれまで上流活動について学んだことを踏まえて、3つの助言をさせてほしい。

1▼「行動」は性急に、「結果」は気長に

これは医療品質改善研究所（ＩＨＩ）の名誉会長モーリーン・ビソニャーノの言葉だが、上流活動にうってつけのモットーに思える。崇高な議論を繰り広げるだけで立派なことをしたような気になり、有意義な変革を起こそうとしない集団が、世の中にはたくさんある。だが、行動なくして変化はない。

その一方で、行動の成果が出るまでに時間がかかることもある。下流活動は範囲が狭く、効果もすぐ出る。**上流活動は範囲が広く、効果もゆっくりだ。**

ホームレスの人に今日食事を提供すれば、すぐにいいことをした気分になれる。だがホームレス化を防ぐために、強制退去を減らす方法を見つけるのには、何年もかかるかもしれない。だから、5年や10年も続ける熱意を持ち続けられるような活動を探そう。

上流活動を続けるために必要な信念、そして頑固さについて考えるとき、僕はいつも活動家のサリー・ハーンドンのことを思う。

ハーンドンはノースカロライナ州の禁煙組織プロジェクト「アシスト」で長年活動していた。１９９０年に組織に加わり、2年かけて計画を準備し、運動を拡大しようとした矢先の１９９３年、組織は手痛い敗北を経験する。タバコ業界が州議会に働きかけて、州の

官公庁舎内の20%のスペースを喫煙可能にすることを義務づける法律を成立させたのだ。

さらにひどいことに、この法律は地方行政が喫煙に対する規制を強化することを禁じていた。ハーンドンはこれを「空気汚染法」と呼んだ。

ハーンドンと仲間たちは、喫煙を減らして市民の健康を改善することを使命としていた。典型的な上流活動だ。だがどうしたら世界最強の圧力団体に、しかもそのお膝元のノースカロライナで打ち勝つことができるだろう？　一撃では倒せそうにない。**もし望みがあるとすれば、問題をコツコツと少しずつ切り崩していくこと**だとハーンドンは考えた。

彼らはそれを実行に移した。まずは勝てそうな戦いから始めた。学校を禁煙にすることだ。「タバコ農家の人でさえ、自分の子どもにはタバコを吸わせたくないと思っていましたから」と、ハーンドンは言う。

長年かけて、地域レベルで厳しい戦いを勝ち抜いていった。喫煙を追放するよう、教育委員会を1つ、また1つと説得した。２０００年時点で、州の教育学区の10%が禁煙を受け入れていた。

だが考えてもみてほしい。州の全学区の10分の1を説得するだけでも丸10年かかった。しかもこれは楽な方と位置づけていた戦いなのだ。まさに持久戦だ。

しかしその後、事態は一気に進展した。活動開始から10年を過ぎた２０００年から２０１０年ごろにかけて、追い風が吹くようになった。州内の全学校が禁煙になった。続いて病院、刑務所、州議会、そして2009年にはとうとうレストランとバーが禁煙になった。コツコツ、コツコツ。上流の勝利はこうやってつかみ取るのだ。

一歩一歩進み、しかし次第に歩幅を広げ、気がつくとゴールであるシステム変革にたどり着いている。これが、「行動は性急に、結果は気長に」である。

2▼「マクロ」は「ミクロ」から始まる

大きな問題を考えるときは、とかく大きな単位で考えがちだ。1000人の問題を解決するのに必要なことは何かと聞かれたら、きっと本能的にこう答えたくなる。「1000人の一人ひとりに対応することはできないから、広い視野で考えなくては」

だが実は、この考え方は完全に間違っている。思い出してほしい。本書で取り上げた英雄たちは、活動を個別的に進めていた。

シカゴの教師は、高校1年生を個別的にサポートした。ロックフォードのチームは、ホームレスの人々に個別的に住まいを提供した。ニューベリーポートのDV高リスクチームは、女性を個別的に保護した。

もちろん、これらの活動はシステム変革にも助けられたが、システム変革を主導したのは、個別的な事例を知り尽くした担当者だった（DVの加害者に、刑務所から釈放された2日後ではなく、釈放される前にGPSを装着させる必要があることに気づいたのは、DV高リスクチームだった）。

教訓は明らかだ。1人を助ける方法を知らなければ、1000人や、まして100万人を助けることなどできない。

それはなぜかと言えば、**問題は近くから見なければ理解できない**からだ。テコの支点の章（第7章）で説明したように、問題は寄り添わない限り理解できない。

シカゴ大学犯罪研究所は200人の殺人被害者の検死報告を読んだ。そうやって直感を研ぎ澄ませなければ、どうやって犯罪防止に関して確固たる考えを持てるというのか？ホームレスの知り合いが1人もいなければ、どうやってホームレス問題について確固たる考えを持てるというのか？

対象が数百人や数千人でなく数百万人の場合、「個別的」な手法を取るといっても想像できないかもしれない。数百万人の状態を改善するには、システム変革が欠かせない。だがシステム変革でさえ、問題に寄り添うことから始まることが多い。

誰かが親身になって問題を深く理解し、市や州のレベルで新しい政策を提言し、関係者に働きかけ、その成功を見たほかの州のリーダーが追随する。

テネシー州のボブ・サンダース博士がチャイルドシート義務化を訴えた例（第3章）を思い出してほしい。「マクロはミクロから始まる」のだ。

世の中の大きな問題を解決したい人は、大胆な目標と、現場での経験を併せ持った集団を探そう。

3▼「薬方式」より「スコアボード方式」を

社会貢献分野は変な思い込みのせいで誤った方向に進んでいると、僕は思っている。それは、「社会活動の取り組みは、新薬を発売するようなものだ」という思い込みだ。最初にすばらしい「薬」を開発する。たとえば指導プログラムや認知行動療法、職業訓練方式といったものだ。次にその「薬」のランダム化比較試験を行い、有効性が確認できたら、晴れて「薬」を発売する、つまりあまねく広める。

試験を行うのが悪いということではない。試験自体はすばらしい。有効な取り組みと有効でない取り組みを知るための重要な方法なのだから。問題は、試験にとらわれるあまり、規模拡大と学習がおろそかになっていることだ。

第11章で紹介した、サウスカロライナ州の看護師家庭訪問プログラム（NFP）の実験を考えてみよう。これは「薬」方式の典型例で、6年間のランダム化比較試験によってプログラムを評価する試みだ。僕はこのプログラムが立派な実験だと言った（し、そこから2章を経たいまもその考えは変わらない！）。

だが厳密な試験にはそれなりの犠牲が伴う。母親を支援するという、最も重要な仕事をしている看護師は、実験中の6年間、そのデータを見ることができない。看護師が結果を受け取るのはすべてが終わってからだ。

ちょっと考えてほしい。6年もの間何も知らされず、ようやく最後になってから、まるでサプライズパーティのように、見も知らない研究者から計画が成功したか失敗したかを告げられるのだ。この方法は、とくに失敗だった場合、耐えられないほどつらい。

さらにひどいことに、薬方式の鉄則は、「試験の途中で薬を変えない」ことだ。たとえ途中で薬の処方を変えた方がよいことが判明したとしても、新しい改良版を提供することはできない。そんなことをしたら試験そのものが成り立たなくなるからだ。

そんなわけでサウスカロライナ州の試験で、看護師は期間中の6年もの間、学習や改善、工夫を禁じられているも同然なのだ。

薬方式の対極にあるのが、継続的改善に力を入れるやり方だ。僕はこれを「スコアボード方式」と呼んでいる。**問題に当事者意識を持つ人々を集め、進捗を測るためのデータを提供する**。このやり方は第5章でも説明した。ジョー・マッキャノンが「調査のため」ではなく、「学習のためのデータ分析」と称した方法だ。

現場で困難な仕事に当たる人たちが、必要なデータを必要なときに入手し、それをもとに学習し、やり方を随時変えていく。絶えず提供されるデータをもとに、取り組みが成功しているのか失敗しているのかをリアルタイムで判断していく様子が、スコアボードに似ている。

誤解のないように言っておくと、両方の方式のいいとこ取りは可能だ。

まずは薬方式で介入の有効性を確認し、拡大段階になったら、（処方を変えないのではなく）臨機応変に介入方法を調整していく。DV高リスクチームの方法が、この好例だ。まずエビデンスに基づいたツール（危険度評価）を開発し、それからしかるべき人たちを集めて問題を包囲し、ツールを使って特定の女性を持続的かつ臨機応変に見守った。

アイスランドのキャンペーンも両方の方式を取り入れていた。エビデンスに基づく薬方式（公式スポーツへの参加を促すなど）で薬物乱用を減らし、だが最終的にはキャンペーンのスコアボード（年次調査のデータ）を見ながら、方向や方法を調整していった。

スコアボード方式で介入を行う際に考えなくてはならない問題は、「今週何をすれば前進できるだろう？」だ。エクスペディアでコールセンターへの問い合わせを減らすためにも、ロックフォードでホームレス問題をなくすためにも、シカゴ学区で卒業率を25ポイント上げるためにも、スコアボード方式が用いられた。

そんなわけで、才能を発揮できる機会を探している人は、薬方式よりスコアボード方式を選ぼう。活動を始める前に完璧な解決策を立てることにこだわらず、問題に当事者意識を持ち、少しずつ前進し始めよう。

組織を「内側」から変える

個人として上流思考を生かす最後の方法は、自分が働いている組織を変えることだ。システムを内側から変える人になれないだろうか？

ダーシャク・サンガヴィは2015年に連邦政府機関メディケア・メディケイド・イノベーションセンター（CMMI）の予防医療健康管理局長を務めていた。CMMIは公的医療保障制度を運営する連邦機関メディケア・メディケイド・サービスセンター（CMS）に属する組織だ。

サンガヴィの任務は、上流の健康増進活動に公的医療保障制度の資金を配分することだった。

連邦政府にはルールがあった。新しい医療の試みを全国的に展開するための資金をCMSから得るには、質の高い医療を提供し、かつコスト削減になるという、2つの条件を満たさなくてはならない（または一方の条件を満たし、もう一方の条件が中立でなくてはならない）。

これはとてつもなく高いハードルだった。実際、サンガヴィがCMSで働き始めた2014年当時、この条件を満たしていた予防プログラムは、ただの1つもなかった。

だが糖尿病予防プログラム（DPP）は、このハードルを越えられるのではないかと期待されていた。DPPは、糖尿病のリスクが高いがまだ発症していない「前糖尿病患者」を支援するためのプログラムだ。患者は最寄りのYMCAなどの地元組織を通じてプログラムに参加し、「体重を5%以上減らす」と「週に2時間半以上の（早歩きに相当する）運動を行う」の2つの目標を与えられた。

目標を達成するために、患者は生活習慣コーチの健康習慣講座を受講したり、コーチの個人面談を受けたりすることができた。DPPに関する大規模研究が行われ、参加者はプログラムを終えた10年後も、2型糖尿病を発症する確率が対照群に比べて33%低く、糖尿病に進んだ場合でも発症は平均で4年遅いという結果が明らかになった。

食生活や運動を中心としたプログラムのほとんどが成果を上げていないことを考えれば、これはめざましい成功だった。

お役所仕事のつねとして、CMMIはDPPを独自の方法で再検証することを決め、2015年末にその結果が出揃った。予想通り、**プログラムには糖尿病の進行を阻止または抑制する効果があると認められた**。

DPPは、医療の質を高め、かつコスト削減に寄与するという、2つの大変なハードルをクリアできる見込みが高まった。プログラムがコスト削減になるかどうかは、CMSの保険数理官が判定する。保険数理官のお墨付きが得られれば、DPPを全国展開できる。ようやく予防医療の本格的な成功物語が聞けそうだ！　サンガヴィはわくわくしながら結果を待った。

運命を決する会議の日がやってきた。そしてこの席で保険数理官は、DPPにコスト削減効果があるとは認められないと発表したのである。

理由は？　**DPPで患者の寿命が延びる分、医療費も増えるから**というのだ。

「英雄」はここにもいる

これは悪い冗談ではない。アメリカの医療の最大の資金提供者である、連邦政府の正式な考えなのだ（この考え方でいくと、最も評価が高い介入とは、タバコをスパスパ吸って、交通信号の電源を抜き、生身でスカイダイビングしなさい、と教えるようなプログラムになるだろう）。

「私はただ呆然と座っていました」とサンガヴィ。「本気なのか？　そんな理由でこの計画をボツにするつもりか、と思いました」

当時のCMS副局長で、CMMIでサンガヴィの上司だったパトリック・コンウェイもこう思った。「あんまりだ。命を救うからという理由で資金が得られないなんて！」

サンガヴィとコンウェイは主席保険数理官に抗議し、コスト削減の算定方法を見直してほしいと訴えた。そんな折り、ある出来事が起こった。巨大組織のちっぽけな歯車になったような無力感を覚えたことがある、すべての人に希望を与えるような出来事だった。

２０１５年のクリスマス前、ＣＭＳの公式の便箋に書かれた手紙が、主席数理官のもとに届いた。差出人は、退職目前のＣＭＳの数理官だった。手紙の冒頭の、「心の叫びを綴ったこの手紙は、いつもより熱い文面になるかもしれません」という言葉が、その内容を物語っていた。

ＣＭＳがコスト削減を算定する方法はおかしいと、数理官は論じていた。「ＣＭＳは寿命の延びにことさらに注目し、データを盾にして、まるでそれが悪いことのように決めつけています」

一般市民がこの方針を知ったらどう反応するだろう、きっとメディアにはこんな見出しが躍るはずだと、手紙は続いていた。

〈アメリカの全高齢者の頭に「蘇生処置不要」のハンコが押される〉

〈数理官「命より信託基金を救いたい」〉

〈メディケアは生き、高齢者は死ぬ〉

だが突き詰めれば、この算定方式は外聞が悪いという理由からではなく、倫理的な理由から変更されるべきだと、数理官は強調した。結びの段落はとても美しく、まるで荘厳な交響曲が鳴り響いているかのように感じられる。

医療の原点たる「何よりも害をなすなかれ」の誓いは、医師だけでなく、数理官、そして医療分野で働くすべての人が守るべき原則です。数理官にとってはとくに大切と言えるでしょう。悪い医師がほんの数人に害を与えるのに対し、悪い数理官は数百万人に害をおよぼしかねません。だからこそＣＭＳは、人命が救われたために生じる追加の医療費はコスト算定に含めない、という鉄則を取り入れるべきです。この計算は、医師や病院の報酬の決定に用いるべきものであり、人がどれだけ長生きすべきかを決定するために使われることがあってはならないのです。

正義は勝った。この手紙と、サンガヴィとコンウェイの訴えの甲斐あって、政府規制に次の法的文言が加えられた。「プログラムの純支出算定において、予想される寿命伸長に伴うコストは考慮されるべきではないと、ＣＭＳは判断した」

物語の結末としてはかなり地味だ。派手な撃ち合いもなければ、救命輸送も蘇生も救済もない。ただの退屈な文章だ。連邦規制に追加された短い付則にすぎない。

それでもこの結末には、上流活動の成功の本質がよく表れている。**静かだが力強く、時を超えて効果を発揮する**。この目立たない一文がこれから大きく広がり、命を救うだろう。

「この世の中を、君が受け継いだときより少しでもよくしよう」という名言がある。この言葉の主が、ボーイスカウトとガールガイドの創始者ロバート・ベイデン゠パウエルだということを、今回調べて初めて知った。ベイデン＝パウエルは何世代もの少年少女に、「備えよ、つねに」と教えた。未来を予測し、いつでも対応できるよう準備を怠るな、ということだ。

華々しい救命や救助がとかく注目を集める。だが事態を正常に戻し、火事を消し、犯人を捕らえ、川でおぼれている子どもを救い出す人たちだけが英雄なのではない。

1年生を卒業への軌道に戻すために昼食を抜いて数学を教える高校教師。虐待を受けた女性の家に元夫を近づけないよう街角で目を光らせる警官。貧困地区のための公園や資金を求めて戦う活動家。

現状に甘んじず、よりよい世界を求めるこうした人たちもまた英雄なのだ。

注——社会貢献プログラムを拡大する試みについて

第7章で説明したように、「ビカミング・ア・マン（BAM）」プログラムは、第1回と第2回のランダム化比較試験ではとても有望な結果が出たが、第3回試験ではそれほどよい結果が出なかった（193ページ）。参加者のティーンエイジャーが増えるにつれて、平均的なインパクトが薄れ、経験のばらつきが拡大したことが、BAMのデータからうかがえる。

つまり、どの社会貢献組織にも当てはまることだが、成功した計画を拡大する方法についてはまだほとんど何もわかっていないのだ。

あなたは想像できるだろうか？　マクドナルドがたった1店しかない世界や、スターバックスがシアトルにとどまり、世界展開しない世界を。だが社会科学ではそれがあたりまえとなっている。ケンタッキーフライドチキンのように「フランチャイズ」を成功させた社会活動はほとんど見つからない（もしかすると幼稚園は1つの成功例かもしれない）。

もちろん、これほど難しいのには、それ相応の理由がある。訓練を受けてポテトを揚げる技術を習得できる人は、全世界でたぶん60億人はいる。だがリーダーのトニーDがやっていることを習得できる人はどれだけいるだろう？　その1000分の1の600万人いればいいほうだろう。

人間の生活のややこしさ、複雑さを考えれば、企業が商品を提供するように確実に解決策を提供するのは至難の業なのだ。

「規模拡大の難題に取り組む人は増えていますが、その取り組みはまだまだ始まったばかりです」と、犯罪研究所のイェンス・ラドウィグは言う。「1000人の子どもに効果のある社会活動を、5000人の子どもでも効果を挙げられるようにする方法は、まだほとんどわかっていません」

これはほぼ解決不能な問題ではないかと、僕は思っている。人間の生活向上に関わるプログラムには、チキンやラテのように簡単に再現できるものはほとんどない（ここで言う「プログラム」とは、BAMのような、人が人にサービスを提供する形態のものを指す。社会保障や交通信号ならもちろん、もっと体系的に拡大できる）。

だからこそ社会貢献活動では、「特定のプログラムを忠実に再現して規模を拡大する」という従来の姿勢から、「当事者意識を持って問題にのぞみ、プログラムを臨機応変に変更して結果を出す」姿勢に転換する必要がある。この考えについてくわしくは、第13章の「薬方式VSスコアボード方式」の議論を参考にしてほしい。

謝辞

まずは2019年夏に初期の草稿を読んでフィードバックをくれた人たちにお礼を言いたい。多忙な合間をぬって貴重な意見をくれたことに感謝している。みなさんの提案や批評のおかげでずっとよい本になった――本当にありがとう。

本書には、多くの人が惜しみなく与えてくれた知恵と指導がちりばめられている。とくに、兄でよき協力者のチップ・ヒースには多くのアイデアをもらった。ジョー・マッキャノン、ロザンヌ・ハガーティ、ニック・カーンズ、モーリーン・ビソニャーノ、ベッキーとクリスティーヌ・マージョッタ、ジェフ・エドモンドソン、イェンス・ラドウィグ、ファルザード・モスタシャリ、ジャスティン・オソフスキ、それからデューク大学犯罪研究所の同僚エリン・ウォーシャムとキャシー・クラークにも感謝している。

特定分野の専門知識を授けてくれた人たちにもお礼を言いたい。世界の医療支出のパターンを教えてくれたコモンウェルス・ファンドのルーサ・ティッカネン、インターフェース社の利益の計算を手伝ってくれたバイロン・ペンストック、寿命の構成要素を解説してくれたリル・アンガー、シカゴ学区の物語に関心を持たせてくれたストライヴ・トゥゲザーのブリジット・ジャンカーズとジェニファー・ブラッツ、そして読者のフィードバックをまとめてくれたメリッサ・ウィギンズ。みなさん、ありがとう。

上流のブレインストーミングのためにダーラムに集まってくれた社会貢献分野のリーダーたち、ベス・サンダー、ケイト・ハーリー、ミシェル・プレッジャー、アン・アイドルマン、スーザン・リヴァーズ、ケイティ・ホン、タルマ・シュルツ、アリソン・マークズク、ブリジッド・アハーン、カーシク・クリシュナンのみなさんに感謝している。

すばらしい編集能力を発揮してくれたピーター・グリフィンとジャネット・バーンに感謝を捧げる。もし本書に行き届かない部分があるとしたら、それは僕が2人の助言を無視してしまったせいだ。

僕の調査チームを支えるエヴァン・ネステラク、サラ・オヴァスカ＝フュー、レイチェル・コーンに心から感謝している。

本書はみなさんの努力のたまものだ。毎週毎週、本書を下流(アップストリーム)(ダウンストリーム)に向かって押し出してくれて本当にありがとう。そしていろいろと助けてくれた調査チームのメンバーにも本当に感謝している。エミリー・カルキンス、ステファニー・タム、マリアン・バール＝ジョンソン、ジュリアナ・ガーボ、J・J・マッコーヴィーのみなさんありがとう。

クリスティ・フレッチャーという比類なき才能の持ち主と、15年も仕事をする幸運に恵まれてきた。彼女は最適なタイミングで最適なフィードバックを与える才能を持っている。

いつも支えてくれるクリスティとチームに感謝している。また本書が、編集者のベン・レーネンが共同創業したアヴィッド・リーダー・プレスから刊行される第一世代の本になったことをとても光栄に思っている。刊行に手を貸してくれたアヴィッドのメレディス・ヴィラレーロ、アレックス・プリミアーニ、ジョーダン・ロッドマン、ジョフィー・フェラーリ・アドラーのみなさんありがとう。

いつも愛情を持って僕を支えてくれるヒース家とアルバートソン家のみんなに心から感謝している。僕がこうしていられるのも、最愛の妻のアマンダと娘のジョセフィーヌ、ジュリアがいてくれるおかげだ。

私たちは問題が起こってから反応し、火事を消し、緊急事態に対処してばかりいる。
もっと問題の予防に注意を向けるべきだ。

本書のサマリー

by ダン・ヒース

問題の「早期警報」を得るには?
「センサー」を配備する。
「兆候」をとらえる。
⚠誤検知

「テコの支点」はどこにある?
問題に寄り添う。
⚠予防活動はコスト削減になるべきという思い込み

「成否」を正しく測るには?
悪用の事前対策を取る。
一対比較法を用いる。
⚠幻の勝利

検討すべき7つの質問

「システム」を変えるには?
システム変革を求めて戦う。
「水」を整える。
⚠欠陥のあるシステムの存続を許す

「害」をおよぼさないためには?
先を見据える。フィードバックループをつくる。
⚠検証を行わない／自信過剰

「しかるべき人たち」をまとめるには?
問題を包囲する。学習のためにデータを利用する。
⚠調査のためのデータ分析

誰が「起こっていないこと」のためにお金を払うか?
費用負担方式や報酬方式を調整する。「ポケット」をつなぎ合わせる。
⚠「違うポケット」の問題

トンネリング
いまは対処できない

当事者意識の欠如
それを解決するのは自分じゃない

問題盲
問題が見えない／仕方がない

乗り越えるべき3つの障害

訳者あとがき

本書は、"Upstream: The Quest to Solve Problems Before They Happen"の全訳である。著者のダン・ヒース（Dan Heath）は、兄のチップ・ヒースとともに、これまで『アイデアのちから』（日経BP）、『決定力！』『スイッチ！』（ともに早川書房）、『瞬間のちから』（ダイレクト出版）の4冊の著書を世に送り出してきた。

どれも日常に生かせる斬新なアイデアをわかりやすく頭に残りやすい方法で教えてくれる本で、合わせて世界300万部以上を売り上げるベストセラーとなっている。「知識の呪縛」「記憶のマジックテープ」「ブライトスポット」といったキャッチーな概念をご存じの読者も多いだろう。

十数年も共同でアイデアを出し合い、本を執筆し続けるなんて、どんなに仲のよい兄弟だと思うかもしれないが、意外にも二人は10歳も年が離れていて、子どものころはとくに何かを一緒にすることはなかったそうだ。

あるとき、研究者として活躍していたチップの都市伝説に関する論文が注目を集め、書籍化の話が舞い込んだ。そのころ、ハーバード・ビジネス・スクールで学びながら卒業後の道を模索していたダンが、たまたま執筆を手伝うことになり、そこから兄弟らしい協力関係が始まったという。

今作でダンは10年ほど前から温めていたテーマに取り組むために、研究者やエンジェル投資家として多忙なチップの手を借りずに、単独で執筆することにしたそうだ。

ダン・ヒースはテキサス大学オースティン校を卒業後、1997年に革新的なオンライン教材を提供する出版社Thinkwellを共同創設。その後、ハーバード・ビジネス・スクールでMBAを取得し、2009年からデューク大学ビジネススクール社会起業アドバンスメント・センター（CASE）でシニアフェローを務めている（CASEは2002年に設立された、社会変革をめざす起業家やリーダーの育成を図ろうとする組織である）。マイクロソフト、フィリップス、バンガード、アメリカ国際開発庁などの企業や組織にもコンサルティングを行っている。

なお、日本では「ハース兄弟」の名で通っているが、実際の発音は「ヒース」に近いため、今作ではダン・ヒースの表記とした。

「上流」で根本的に解決せよ

問題解決のまったく新しいアプローチ法を紹介した本書は、刊行直後にウォール・ストリート・ジャーナル紙に、「Covid-19はリーダーシップの試金石である」と題する記事で取り上げられ、大きな話題を呼んだ。

起こってしまった危機にただ対処するよりも、危機そのものを起こらなくする「上流思考」を持たねばならない。危機の再発を防ぐために、システムレベルで対処できるリーダーが求められている、と記事は訴えた。

パンデミックの脅威ははるか以前から認識されていた。だがSARSやMERS、エボラ出血熱などの流行を見ながらも、十分な対策が取られてきたとは言いがたい。

その理由は、本書のSECTION1で取り上げられている、3つの枠組みに当てはめてみればよくわかる。

パンデミックは仕方のないことだという「問題盲」があった。

遠く離れた異国の話だという「当事者意識の欠如」があった。

誰もが目先の問題にとらわれ、「トンネリング」を起こしていた。

では、問題が起こる前に対処するにはいったいどうしたらいいのだろう?

本書はこの疑問に答えようとする本だ。

世間ではとかく起こった問題への対応がクローズアップされ、火消しや救命士が賞賛される。だがそもそも火消しや救命が必要になるのは、「システム」に欠陥がある証拠だと、本書は指摘する。

本書の「アップストリーム（上流）」という原題は、公衆衛生分野では有名な（だがその他の分野ではあまり知られていない）、次のたとえ話に着想を得たものだ。

あなたが友人と川岸でピクニックをしていると、子どもが川でおぼれているのが見えた。あなたと友人は反射的に川へ飛び込み、子どもを救い出す。するとまた、別の子どもがもがいているのが見える。そしてまた一人……。必死に助けようとしていると、友人があなたを置いて川から上がろうとしている。

「おい、どこへ行くんだよ?」。あなたの呼びかけに、友人は答えた。

「上流に行って子どもを川に投げ込んでるやつをとっちめてやる」

本書で言う「上流」の活動とは、問題に事後的に対処する（下流で子どもを助ける）のではなく、未然に防ごうとする（上流で子どもが投げ込まれないようにする）すべての活動を指す。防止や事前対応ではなく、あえて「上流」という言葉を使うのは、流れというたとえによって解決策を幅広くとらえるためである。下流から上流に向かうどの地点でも、介入は可能だということだ。

問題を未然に防止するのはとても難しい。昔からある、複雑な要因が絡み合った問題をどうやって解決するのか?

だが現に「上流」に正面から取り組み、信じがたいほどの成果を上げている人たちがいる。ダン・ヒースはそうした人たちを突き止め、丹念な取材によって問題解決に至った経緯を掘り下げていく。本書のために、ビジネス界から教育界、スポーツ界、医療業界に至るまで、大きな変革を起こしてきた人たちに膨大な取材を行った（登場するほとんどの当事者たちから直接、話を聞いている）。

そうして導きだしたのが、下記の「7つの問い」だ。

・しかるべき人たちをまとめるにはどうしたらよいか？
・システムを変えるにはどうしたらよいか？
・テコの支点はどこにあるのか？
・問題の早期警報を得るにはどうしたらよいか？
・成否を正しく測るにはどうしたらよいか？
・意図しない害をおよぼさないためにはどうしたらよいか？
・誰が「起こっていないこと」のためにお金を払うのか？

これらの問いに答えることによって、上流での問題解決が可能になるという。具体的にどのようにアプローチし、一つひとつ解決するかについては、さまざまなパターンの事例が紹介されているので、参考にしてほしい。

あなたの仕事やプライベートには何度も起こる問題や、解決したいと思いながら仕方がないと放置してきた問題はないだろうか？　大きな社会問題にとどまらず、仕事で繰り返し起こる問題や、日常に起こる小さな問題でもいい。あなたも一個人としてぜひ上流に向かってほしいと、著者は呼びかけている。

最後に、この本を訳す機会を与えてくださり、きめ細かくご指導くださったダイヤモンド社編集部の三浦岳氏に、この場をお借りして心から感謝申し上げたい。

櫻井祐子

2021年11月

本書の原注は、以下のURLから
PDFファイルをダウンロードできます。

▼

https://rd.diamond.jp/108772-pb

［著者］

ダン・ヒース（Dan Heath）

テキサス大学オースティン校を卒業後、Thinkwell社を共同創設、ハーバード・ビジネス・スクールでMBAを取得。現在はデューク大学ビジネススクール社会起業アドバンスメントセンター（CASE）でシニアフェローを務めている。兄チップとの共著に『アイデアのちから』（日経BP）、『スイッチ！』『決定力！』（ともに早川書房）、『瞬間のちから』（ダイレクト出版）がある。著書は世界300万部以上を売り上げ、33言語に翻訳されている。米国ノースカロライナ州ダーラム在住。

［訳者］

櫻井祐子（さくらい・ゆうこ）

翻訳家。京都大学経済学部経済学科卒。大手都市銀行在籍中にオックスフォード大学大学院で経営学修士号を取得。訳書に『1兆ドルコーチ』『Joyful 感性を磨く本』（ともにダイヤモンド社）、『NETFLIXの最強人事戦略』（光文社）、『CRISPR 究極の遺伝子編集技術の発見』（文藝春秋）、『OPTION B 逆境、レジリエンス、そして喜び』（日本経済新聞出版）、『BAD BLOOD シリコンバレー最大の捏造スキャンダル全真相』（共訳、集英社）などがある。

上流思考

――「問題が起こる前」に解決する新しい問題解決の思考法

2021年12月14日　第1刷発行
2022年1月17日　第3刷発行

著　者――ダン・ヒース
訳　者――櫻井祐子
発行所――ダイヤモンド社
〒150-8409　東京都渋谷区神宮前6-12-17
https://www.diamond.co.jp/
電話／03･5778･7233（編集）　03･5778･7240（販売）

装丁――水戸部功
本文デザイン―喜來詩織（エントツ）
校正――円水社
製作進行――ダイヤモンド・グラフィック社
印刷――勇進印刷
製本――ブックアート
編集担当――三浦岳

ISBN 978-4-478-10877-2